O Poder da Oração para mães

Marla Alupoaicei

O Poder da Oração para

Seus filhos precisam de seu amor e de sua intercessão

Tradução de Lena Aranha

THOMAS NELSON
BRASIL®

Rio de Janeiro – 2014

Título original: *Prayer warrior*

As citações bíblicas foram extraídas da NVI – Nova Versão Internacional, salvo quando especificado.

PUBLISHER	*Omar de Souza*
EDITOR RESPONSÁVEL	*Samuel Coto*
PRODUÇÃO	*Thalita Aragão Ramalho*
PRODUÇÃO EDITORIAL	*Anna Beatriz Seilhe*
TRADUÇÃO	*Lena Aranha*
REVISÃO DE TRADUÇÃO	*Thiago Braz*
REVISÃO	*Mariana Moura*
	Luiz Antonio Werneck Maia
DIAGRAMAÇÃO	*Leandro Collares (Selênia Serviços)*

Todas as citações bíblicas foram extraídas da Nova Versão Internacional. Outras versões, quando usadas, estão indicadas conforme estas legendas: ACF: Almeida Corrigida e Revisada Fiel; e NTLH: Nova Tradução na Linguagem de Hoje.

CIP-BRASIL. CATALOGAÇÃO NA FONTE
SINDICATO NACIONAL DOS EDITORES DE LIVROS, RJ

A471p Alupoaicei, Marla
O poder da oração para mães : cobrindo seus filhos com as bênçãos e a proteção de Deus / Marla Alupoaicei ; [tradução de] Lena Aranha. – Rio de Janeiro: Thomas Nelson Brasil, 2014.

Tradução de: Prayer Warrior
ISBN: 978-85-7860-491-2

1. Mãe e filhos. 2. Oração. 3. Vida Cristã. I. Aranha, Lena. II. Título

CDD: 242
CDU: 2-42

Thomas Nelson Brasil é uma marca licenciada à Vida Melhor Editora S.A.

Rua Nova Jerusalém, 345 – Bonsucesso
Rio de Janeiro – RJ – CEP 21402-325
Tel.: (21) 3882-8200 – Fax: (21) 3882-8212 / 3882-8313
www.thomasnelson.com.br

Para Dorothy Martin, minha devota e leal Mãe Guerreira de Oração — seu amor e suas orações transformaram minha vida. Obrigada!

Para meu amado marido, David, amo-o mais do que você imagina. Seu amor torna mágico todos os lugares.

E para meus filhos, Evan e Eden, vocês são meu tesouro inestimável e o raio de sol de minha vida. Sempre amarei vocês.

"As orações são mensageiros alados que levam nossos apelos até Deus."

— John W. Follette, *Broken Bread*

SUMÁRIO

Agradecimentos

Toda a minha gratidão segue para o meu Senhor e Salvador Jesus Cristo. Agradeço-lhe por quem o Senhor é, por tudo o que tem feito, por tudo o que fará. A sua graça é suficiente para mim.

Um agradecimento especial para os meus pais, Terry e Dorothy Martin e Jim e Joanna DeShong. O seu amor e as suas orações transformaram a minha vida. Serei eternamente grata por isso.

Aos meus incríveis irmãos, Jay e Doug, e às minhas irmãs, Deborah, Colleen e Cecilia. Agradeço o amor e o apoio de vocês. Este livro traz memórias dos momentos alegres, das risadas, das lágrimas e das experiências que compartilhamos. Amo muito todos vocês.

Ao meu amoroso, compreensivo e prestativo marido. Você é maravilhoso. Obrigada por ter me dado o tempo e o espaço para ter escrito este livro. Oro para que Deus o recompense mil vezes pelos seus sacrifícios.

Aos meus queridos filhos, Evan e Eden. A mamãe os ama muito. Tudo o que faço é por vocês. Oro todos os dias por um derramamento das maiores bênçãos de Deus sobre a vida de vocês, para todo o sempre, amém. Que vocês sempre amem e obedeçam ao Senhor e caminhem com ele.

À minha agente, Mary Keeley, e às mulheres verdadeiramente notáveis da Books & Such Literary Agency. Obrigada pela sua sabedoria e orientação. O seu conhecimento da indústria editorial cristã é extraordinário. Sou muito agradecida pela sua ajuda em tornar este sonho em um produto completo.

Aos meus editores da Thomas Nelson, em especial a Kristen Parrish e a Janene MacIvor, agradeço pelo encorajamento, pelas habilidades editoriais e pela poderosa crença no ministério deste livro.

Aos meus professores, aos meus amigos e a todos os que me inspiraram que acreditaram em mim e falaram a verdade na minha vida, obrigada. Vocês são uma verdadeira bênção de Deus.

Aos autores que plantaram em mim o amor pelos livros, a paixão por aprender e a fervorosa e alegre devoção pela escrita — serei eternamente grata. Todas as noites que passei lendo no patamar da escada enquanto toda a minha família dormia... naqueles momentos, o mundo dos livros se tornava real para mim. Mais real até que a realidade. E pensava: *Talvez, apenas talvez, algum dia eu escreva o meu próprio livro.*

Introdução

"Um livro só é bom quando é oportuno", afirma minha amiga Carol.

E Ben, meu amigo legal do grupo de escritores, diz: "O livro certo no momento certo é como Deus realizando pequenos milagres em sua vida."

Eis seu pequeno milagre: uma Mãe Guerreira de Oração!

Este é seu ano, minha amiga. Seu ano de avanço espiritual. Seu ano de jubileu. Seu ano para ser uma pessoa vitoriosa, em vez de uma vítima. Seu ano para ver seus filhos começarem a amar a Deus e a viver para ele. Seu ano para se regozijar quando sua ovelha perdida voltar para o rebanho. Seu ano para que nos livremos de "tudo o que nos atrapalha e do pecado que nos envolve, e corramos com perseverança a corrida que nos é proposta" (Hebreus 12:1).

Você é preciosa, e oram por você. Está em meu coração e mente a cada palavra que escrevo. Oro para que este livro a encontre e a leve para o reino das infinitas possibilidades de Deus, destinado a você e seus filhos. Quero vê-la seguir as bênçãos que excedem seus sonhos mais loucos quando vir Deus fazer "infinitamente mais do que tudo o que pedimos ou pensamos, de acordo com seu poder que atua em nós" (Efésios 3:20).

Minha esperança em Cristo é que você descubra que este livro chegou na hora certa e é transformador em todos os aspectos de sua vida: espiritual, mental, emocional, físico, intelectual, teológico e muitos outros. Acredito que estes 15 capítulos irão inspirá-la a estabelecer um novo hábito de orar por seus filhos com fervor, autoridade, gratidão e fé renovada.

Você consideraria começar um grupo "Mãe Guerreira de Oração" em sua igreja, a fim de ler este livro em um semestre ou como um estudo bíblico durante o verão? Seja na igreja, seja em sua casa, espero que você forme um pequeno grupo de amigas que orem e que vocês se comprometam a se encontrar enquanto intercedem por seus filhos.

Durante o processo de escrita de *O poder da oração para mães*, orei para o Senhor me revelar algumas passagens-tema para fundamentar este livro. A primeira passagem que ele me mostrou foram palavras profundas saídas dos lábios de Jesus quando ele cumpriu uma profecia muito antiga, registrada no livro de Isaías. Acredito que esta passagem também abranja o ministério deste livro:

> O Espírito do Senhor está sobre mim, porque ele me ungiu para pregar boas-novas aos pobres. Ele me enviou para proclamar liberdade aos presos e recuperação da vista aos cegos, para libertar os oprimidos e proclamar o ano da graça do Senhor (Lucas 4:18-19).

A mensagem de *O poder da oração para mães* se alinha com a missão de Jesus: pregar o evangelho, ajudar a curar os corações partidos, proclamar a libertação de mães feridas pelo pecado, restaurar a alegria de seu espírito oprimido e proclamar este ano como seu período de imersão na oração e na intercessão por seus filhos.

A segunda passagem afirma nosso ministério de maternidade e reflete como deve ser nossa atitude enquanto servimos nosso marido e filhos "como para o Senhor" (Colossenses 3:23). Esta passagem reforça tudo o que dizemos e fazemos como Mães Guerreiras de Oração:

> Façam tudo sem queixas nem discussões, para que venham a tornar-se puros e irrepreensíveis, filhos de Deus inculpáveis no meio de uma geração corrompida e depravada, na qual vocês brilham como estrelas no universo, retendo firmemente a palavra da vida. Assim, no dia de Cristo eu me orgulharei de não ter corrido nem me esforçado inutilmente (Filipenses 2:14-16).

Deus também me levou a uma terceira passagem, que guia nossa missão espiritual, nossas "ordens de marcha" como Mães Guerreiras de Oração:

> As armas com as quais lutamos não são humanas; pelo contrário, são poderosas em Deus para destruir fortalezas. Destruímos argumentos

e toda pretensão que se levanta contra o conhecimento de Deus, e levamos cativo todo pensamento, para torná-lo obediente a Cristo (2Coríntios 10:4-5).

Obrigada por me acompanhar no bom combate, por manter a fé enquanto nos ajoelhamos para batalhar por nossos filhos. Se você estiver ferida, oro para que os princípios, as histórias e as passagens bíblicas deste livro renovem seu espírito e acelerem sua cura. Que o Senhor lhe garanta "uma bela coroa em vez de cinzas" e "manto de louvor" em troca de seu pesado fardo (Isaías 61:3).

Incluí em cada capítulo um modelo de oração, perguntas para discussões em pequenos grupos e uma seção indispensável intitulada "Espada do Espírito", com versículos bíblicos para você ler, meditar e memorizar. Tudo isso a guiará em sua busca para cobrir seus filhos com bênçãos.

Você está a caminho de se tornar uma poderosa MGO (Mãe Guerreira de Oração)! As orações que você dedica a seus filhos já estão criando resultados impressionantes no reino do céu, conforme Deus prometeu em Isaías 55:11: "A palavra que sai da minha boca: Ela não voltará para mim vazia, mas fará o que desejo e atingirá o propósito para o qual a enviei."

Para você, com amor, gratidão e bênçãos.

Marla Alupoaicei

Capítulo 1

Cultive uma atitude de gratidão

Sentir gratidão e não expressá-la é como embrulhar um presente e não entregá-lo.

William Arthur Ward[1]

Eu estava livre! Meu marido concordou em tomar conta das crianças por um tempo para que eu pudesse passar algumas horas na livraria cristã local. Atravessei o *drive-thru* da Starbucks e peguei um café com leite desnatado.

Quando entrei na livraria, uma inscrição pintada em um lindo azulejo do tipo espanhol chamou minha atenção: "Ser mãe é um santo privilégio."

Essa verdade atingiu meu coração como um raio. Será mesmo? Não seria uma labuta diária? Ou uma missão entediante? Até mesmo uma alternativa após deixarmos nossa "verdadeira carreira" para trás?

Sim, a maternidade é um santo privilégio. Deus a instituiu, ordenou e abençoou. De certa forma, o convívio entre mãe e filho é nosso principal relacionamento terreno, sendo mais importante para a nossa vida do que o casamento. (Claro que tive de comprar o azulejo. Precisava daquele lembrete diário do infinito valor que Deus atribuía à maternidade!)

Deus nos dotou com uma vocação sublime, um glorioso chamado e uma grande honra. Sei que os dias cuidando de bebês inquietos podem parecer interminavelmente longos, mas os anos passam tão

[1] http://www.brainyquote.com/quotes/keywords/gratitude.html.

rápido. A mãe de uma criança que já engatinhava me fez rir quando descreveu as tarefas sem recompensas da maternidade. Ela disse:

> Ter um bebê é realmente difícil. Sei que todos lhe dizem isso. Todos estão certos. [...]
>
> Quando você trabalha em uma equipe e tem um chefe, projetos e prazos, ao concluir uma tarefa, alguém diz: "Bom trabalho." Ou "Obrigado". Ou "Uau, isso foi genial e muito útil." Mas Henry [meu filho] nunca olha para mim quando troco suas fraldas e diz: "Você fez um bom trabalho com os lenços umedecidos, mamãe. Arrasou!" Ele não olha para mim à noite durante a minha tentativa de fazê-lo dormir novamente e sussurra: "Técnica fabulosa para acalmar e ninar. Você é um gênio."
>
> Henry não se importa nem um pouquinho com o fato de eu ser capaz de falar francês, de explicar os enunciados ou de preparar muito bem um salmão assado. O que importa é que eu esteja ali com ele sempre que for necessário. [...] Posso brincar com o Sapinho, seu brinquedo favorito, repetidas vezes.[2]

Cada vez que oramos, nossa influência espiritual sobre nossos filhos — como nesses momentos intermináveis em que brinco com Henry e Sapinho — reúne poder. Ficamos mais fortes e mais confiantes. Nossa fé floresce à medida que nós e nossos filhos começamos a receber cada vez mais bênçãos de Deus. Nossas orações diárias combinadas com um efeito atrativo culminam em um poderoso legado de intercessão. Nossas petições, assim como um lençol aconchegante, envolvem nossos filhos com a graça e a proteção de Deus.

Estou entusiasmada por você estar lendo este livro. Sei que o Senhor abençoará seu desejo de se tornar uma Mãe Guerreira de Oração. Anseio por ajudá-la a se engajar na oração de reformulação, que a ajuda a avançar com seus filhos.

À medida que você começa a praticar os princípios, a memorizar as passagens bíblicas e a fazer as orações incluídas neste livro, verá com que rapidez a verdade de Deus transforma o coração de seus filhos. No fim deste livro, na seção "Pesquisas recomendadas", também forneço

---

[2] NIEQUIST, Shauna. *Cold Tangerines:* Celebrating the Extraordinary Nature of Everyday Life. Grand Rapids: Zondervan, 2007, p. 194.

pelo menos três recursos adicionais sobre cada tópico de que trato em *O poder da oração para mães*. Acredito que eles são uma inspirarão e que serão úteis em sua jornada para ser uma vitoriosa guerreira de oração.

O mais importante é que minha esperança a faça descobrir que a oração que honra a Deus não diz respeito a regras nem a regulamentações; mas sim ao desenvolvimento de um relacionamento no qual sua vida seja entregue ao Senhor do universo.

O PODER DOADOR DE VIDA DA GRATIDÃO

Cultivar um coração de gratidão é essencial para seu papel como Mãe Guerreira de Oração. Conforme você fica mais agradecida e se torna mais eficaz na oração, Deus transforma sua vida familiar e seu casamento de dentro para fora. Você se surpreenderá com a transformação no coração, nas atitudes e nos atos de seus filhos à medida que aprende a "ficar no vão" por eles (veja Ezequiel 22:30). Você acaba progredindo nas bênçãos conforme suas orações na terra se encontram com o poder ilimitado de seu Pai do céu.

Para mim, ter um espírito alegre e agradecido costumava ser muito fácil. Deus criou-me otimista por natureza, com uma perspectiva do "copo meio cheio" em relação à vida. (Meu marido, David, diz que ele é "realista". Falarei mais sobre isso adiante.)

Então tive filhos. Dois filhos, para ser mais exata, com diferença de 14 meses entre eles. Ser mãe, de certa forma, acabou com minha perspectiva de "copo meio cheio" e com grande parte de minha alegria. As noites maldormidas somadas à árdua missão de cuidar dos meus pequeninos fez com que minha animação murchasse a ponto de eu mesma não me reconhecer.

Meu filho Evan veio ao mundo prematuro, pesando apenas 1,36kg. Se você já passou por situação semelhante, sabe a importância da escala "2-5-8-11-2-5-8-11". Ela corresponde aos horários em que eu tinha de alimentar e trocar meu bebê todos os dias e todas as noites — sem exceção. Se quisesse dormir, me exercitar, cozinhar, caminhar ao ar livre ou arranjar urgentemente um "tempo para mim", nada feito — tinha de cuidar do Evan. Nas poucas vezes que Evan milagrosamente estava dormindo às 2, 5, 8 ou 11 horas, infelizmente tive de acordá-lo.

Então, quando Evan tinha apenas cinco meses, surpresa! Descobri que estava grávida de novo. Porém, a alegria que eu deveria ter sentido foi substituída por lágrimas capazes de encher uma das crateras da lua. David e eu ainda estávamos abalados com as responsabilidades de cuidar do nosso bebê prematuro. Como poderíamos cuidar de outro bebê? Mas, nove meses depois, dei à luz uma menina doce, Eden.

Desde então, não sei como me espantei em achar que a vida com um bebê era fácil! A partir do nascimento dos meus filhos, a tensão física, espiritual e emocional de cuidar de *dois bebês* tornou um fardo manter o meu casamento abençoado, a minha casa limpa, o meu ministério e a minha carreira de escritora. (Não tinha percebido logo no começo, mas também sofria com a depressão pós-parto.) Talvez você também tenha passado por isso.

Certo dia, depois do nascimento da minha filha, enquanto passava ao lado da piscina, observei uma borboleta afogada, flutuando indiferente na superfície da água. "Essa sou eu", pensei, e um profundo sentimento de pesar brotou na minha alma. *É exatamente assim que me sinto.* Inclinei-me na borda da piscina e tirei a borboleta sem vida, admirando as suas asas coloridas ao depositá-la gentilmente sobre a grama.

Uma ponta de desespero apertou meu coração. Eu lamentava o fato de o mundo decadente roubar o prazer de voar das criaturas aladas. Também sentia falta da mulher que tinha sido. Antes de ter filhos, sentia-me jovial e exuberante como se voasse levemente. Porém, acabei perdendo essa chama, o gosto pela vida. Passei a me sentir melancólica e sem vida, presa, insuportavelmente na lama da terra firme. "O que há de errado comigo, Deus?", perguntei.

Parecia que, logo que concluía algo, meu marido e meus filhos exigiam mais de mim ou as crianças causavam novos desastres que precisavam de atenção. Nunca senti que "tinha tudo sob controle". Nós, mães, vivemos com essa tensão constante, e isso pode causar frustração e descontentamento em estado latente.

Aos poucos, Deus me ajudou a reconquistar minha alegria à medida que reaprendi a ser agradecida e a encontrar novas maneiras de expressar amor pelo Pai, pelo Filho e pelo Espírito Santo. Tive de aprender a seguir a minha fé em vez do meu sentimento. Descobri que a gratidão é essencial para nossa adoração a Deus, bem como para o desenvolvimento e o cultivo de relacionamentos humanos saudáveis.

Não estou fingindo felicidade. Falo sobre deixar Deus forjar, suavizar e moldar nosso coração até que consigamos aceitar tudo o que ele nos dá (seja uma bênção dos céus ou algo horrível) e dizer com sinceridade: "O Senhor dá e o Senhor tira. Louvado seja o nome do Senhor" (Jó 1:21, parafraseado).

A gratidão é o antídoto contra o desespero e contra a infelicidade atroz. Quando honramos a Deus com nosso louvor e criamos "momentos de agradecimento" com nossos filhos, nos tornamos modelos de redenção para eles. Mostramos a eles que Deus pode tornar algo arruinado em algo sagrado, redimido e bonito aos olhos dele.

Se você é casada, seu marido é a *cabeça* da casa, mas você é o *coração*. Suas atitudes e atos estabelecem o tom para sua família. Você está agradecida, espiritualmente focada, além de ser otimista e encorajadora? Ou você é mal-agradecida, pessimista, irritante e meticulosa? Quando ora, sua prioridade é agradecer ou apenas inclui algumas palavras apressadas de agradecimento no final, logo antes do "amém"?

Algumas de vocês são mães solteiras. Se você se identifica com isso, significa que é tanto a cabeça quanto o coração da sua casa. Vivenciei minha mãe cuidar da família como mãe solteira de cinco filhos; sei como isso pode ser sufocante às vezes. Seus filhos a consideram um exemplo de gratidão; você é o modelo deles de como levar uma vida cristã. Quando escolhe viver em vitória, louvando a Deus por tudo o que tem (em vez de focar no que não tem), você modela a atitude de Cristo para seus filhos.

O agradecimento reflete a ordem do Reino de Deus; abre o armazém celestial dos tesouros do Senhor. Quando nos esquecemos de agradecer a Deus, perdemos muitas das bênçãos preparadas por ele.

Agora, eis a dificuldade: *a atitude de agradecimento não acontece simplesmente para nós, temos de aprender intencionalmente a cultivá-la.*

A gratidão não é apenas um grande traço de personalidade que determinadas mulheres "felizes" possuem; é uma habilidade, uma escolha e uma disciplina espiritual. O agradecimento dissipa a sombra do desespero de nossos dias tenebrosos. E quando os outros nos olham, se agradecemos mesmo nos momentos difíceis, eles também veem Cristo em nós, a esperança de glória.

Você, como Mãe Guerreira de Oração, serve como o termômetro de sua casa. Quando escolhe intencionalmente ser agradecida, logo aquece a atmosfera do seu lar. Deus começa a aquecer o coração do seu marido e dos seus filhos e os enche de alegria. Sua gratidão gera o fruto do Espírito: amor, alegria, paz, paciência, amabilidade, bondade, fidelidade, gentileza e autocontrole (Gálatas 5:22-23).

A Bíblia nos diz que devemos dar "graças em todas as circunstâncias, pois esta é a vontade de Deus para vocês em Cristo Jesus" (1Tessalonicenses 5:18). Talvez você esteja pensando: "Você não faz ideia pelo que estou passando. Como podem esperar que agradeça em todas as circunstâncias?" Talvez esteja sofrendo por seu filho pródigo, perguntando-se se ele ou ela voltará a ter um estilo de vida saudável e piedoso. Talvez esteja se sentindo devastada por um divórcio recente, por perder o emprego, por dificuldades financeiras, pela morte de um filho, por descobrir um câncer ou uma doença de um membro da família. Tudo isso pode nos fazer duvidar da bondade de Deus e desfazer nosso sentimento de gratidão em relação a ele.

Talvez você e eu lutemos para ser agradecidas *por* todas as circunstâncias, mas ainda podemos ser agradecidas *em* todas as circunstâncias. Por quê? Porque "sabemos que Deus *age* em todas as coisas para o bem daqueles que o amam, [...] [e são] chamados de acordo com o seu propósito" (Romanos 8:28; grifo da autora). Nem todas as situações são necessariamente boas, mas Deus é bom e faz todas as coisas trabalharem juntas, de acordo com seu plano perfeito. Não precisamos necessariamente nos *sentir* felizes em relação a determinada situação, mas ainda podemos expressar gratidão com base no que sabemos ser verdade a respeito de Deus.

Como jardineiros, somos convocados a zelar por nossos filhos e a podar possíveis ameaças, como:

- Os "insetos" da raiva, do isolamento, da desonestidade, da amargura, da inveja e da discussão.
- As "ervas daninhas" dos amigos que podem exercer uma influência negativa sobre eles.
- A "doença" de palavras, comportamentos, escolhas e atitudes de coração que não agradam ao Senhor.

Você está na linha de frente na defesa dos seus filhos. Suas orações são uma proteção sobre eles, protegendo-os do dano espiritual, físico e emocional. Enquanto lê este livro, você aprenderá a se envolver em combate espiritual e a ajudar seus filhos a derrotar os "ladrões", para que possam continuar a se desenvolver para Cristo.

Recentemente, vi uma tapeçaria de parede que dizia: "A ação de graças acontece uma vez por ano. A vida de gratidão acontece durante o ano todo!" Tenho certeza que você conhece uma mulher com "vida de gratidão". Ela irradia alegria e gratidão. Todos gostam de estar perto dela. Ela tem um coração de serva, um sorriso e uma palavra edificante para todos. Ela exibe energia ilimitada e oferece uma perspectiva espiritual que transforma até mesmo as situações mais tenebrosas.

E adivinhe só: *Você* pode ser essa mulher! Como? Comece a usar adoração e gratidão em suas orações. Gosto de completar minhas orações com ação de graças no começo e no fim delas. De acordo com o exemplo de oração de Jesus apresentado nas Escrituras, devemos louvar o Pai antes de iniciar nossa lista de pedidos pessoais.

Como começamos nossa jornada como Mães Guerreiras de Oração? Para começar, recomendo que você compre dois cadernos ou diários baratos. Gosto de usar um caderno de estenografia para anotar meus pedidos de oração; registro os pedidos do lado esquerdo e as resposta do lado direito. Se você gostar de trabalho manual pode personalizar a capa de seu caderno com papéis fofos, fitas e outros enfeites.

Comprei um lindo diário vermelho e branco com as palavras *Deus é amor* na capa. Uso-o como meu "diário de gratidão". Mantenho-o separado do meu diário de oração e o uso para registrar as coisas pelas quais me sinto agradecida.

Deixe seu diário de gratidão em um lugar de fácil acesso. Reserve alguns minutos por dia para anotar de três a cinco coisas pelos quais você é agradecida. Ao longo do dia, sempre que precisar de mais bênçãos, escreva-as. Desenvolva isso como uma disciplina espiritual ao reservar alguns minutos todas as manhãs, ou noites, para registrar o que Deus tem feito por você. Peça liberdade para prestar contas para alguém de seu grupo de Mães Guerreiras de Oração ou para uma amiga confiável.

Todas as noites, durante o jantar ou antes de ir para a cama, pergunte a seus filhos: "Pelo que você está agradecido hoje? Qual foi o ponto alto de seu dia? Qual foi o ponto baixo?" Essas perguntas fornecem uma forma para você explorar o que está acontecendo diariamente na vida dos seus filhos. Deixe que eles discutam tanto as maravilhas quanto as dores que possam lhes ter acontecido. Ao fazer isso, você cultiva a liberdade em sua casa. Talvez queira registrar a resposta de seus filhos em um livro de oração separado ou também em um diário de gratidão.

Eis aqui algumas dicas práticas para você criar uma atmosfera de gratidão em sua casa:

- Compre lupas baratas, uma para você e uma para cada filho. Passeie com seus filhos em campos e parques arborizados e colete "objetos encontrados" da natureza. Quando chegar em casa, examine-os e converse com seus filhos sobre a beleza da criação de Deus.
- Colecione revistas e ajude seus filhos a recortar imagem das coisas de que gostam e das coisas pelas quais são agradecidos. Use essas imagens para criar uma "colagem da gratidão" em um pôster ou papel-cartão. Você pode emoldurar esses cartazes e pendurar na parede do quarto deles. Também pode expor fotos de revista em um quadro de recordações.
- Estimule seus filhos a escreverem notas e cartões de agradecimento para os amigos, para os professores e para os parentes.
- Faça seus filhos desenharem ou pintarem algo pelo que são agradecidos.
- Escreva uma carta para cada um de seus filhos, dizendo-lhe especificamente por que você é agradecida por tê-los e como Deus os dotou.
- No aniversário do seu marido, no de casamento ou no Dia dos Namorados, dê a ele uma carta em que você registrou por que é agradecida por tê-lo em sua vida.
- Coloque um quadro de agradecimento na parede e faça seus filhos escreverem diariamente as bênçãos pelas quais são agradecidos.
- Peça a seus filhos, durante seu tempo noturno de oração, para agradecer a Deus por três coisas novas a cada dia. Inspire-os a serem criativos.

Como uma Mãe Guerreira de Oração, inspire seus filhos a serem agradecidos. Ensine-os a dar todo o crédito a Jesus pelas boas coisas na vida deles. Modele a gratidão e exalte-os com palavras genuínas de elogio e encorajamento. Seja autêntica, criativa, específica e generosa em seu elogio. Ore por seus filhos, mencionando o nome de cada um deles, todos os dias. Sua "ferramenta de jardinagem" mais impressionante é a capacidade de orar as Escrituras por seus filhos. A Palavra de Deus tem a autoridade suprema sobre tudo no céu e na terra. Ela é "viva e eficaz" e "mais afiada que qualquer espada de dois gumes" (Hebreus 4:12).

Se você tem filhos pequenos, pegue-os pela mão e guie-os na oração diária. Ajude-os a usar palavras simples para agradecer a Deus pelas coisas boas em sua vida. Quando os vir fazendo coisas certas, elogie-os sempre que possível. Seja a treinadora e a torcida deles, sempre estimulando-os a ter maior confiança e maturidade na fé.

A gratidão representa uma das poucas dádivas que podemos devolver para Deus. Nossas palavras de gratidão ressoam com glória na sala do trono do céu. Nosso pai se agrada com nosso louvor. Ele se delicia em glória quando lhe agradecemos. Quando escolhemos louvar ao Senhor, ele fica totalmente presente em nosso coração, em nossa casa e na vida de nossos filhos.

Oração de hoje

Pai celestial, eu o amo. Obrigada por ser meu Deus Criador magnífico, Todo-poderoso e amoroso. Apresento meus filhos [diga os nomes deles aqui] hoje ao Senhor. Por favor, ajude cada um deles a se tornar uma pessoa agradecida. Perdoa-me (e a eles) por quaisquer pecados de ingratidão, descontentamento ou negatividade. Cria em nós um coração puro e conceda a todos nós uma atitude de gratidão. Obrigada por suas bênçãos. Toda a nossa vida lhe pertence. Cada vez que respiramos é uma dádiva sua. Obrigada por amar meus filhos, Senhor. Obrigada por fazê-los tão bonitos e por contar cada fio de cabelo da cabeça deles.

Senhor, ajude-me a mostrar, a cada dia, apreço e a modelar um coração de gratidão para meu marido e meus filhos. Não permita que eu considere esta atitude uma obrigação. Ensina-me a ser agradecida ao Senhor em todas as circunstâncias, independentemente de quão desafiadoras elas sejam. Obrigada por enviar seu Filho Jesus para morrer em meu lugar e me dar o dom da vida eterna com o Senhor. Oro para que cada um de meus filhos, por intermédio de Jesus, estabeleça um relacionamento para a salvação com o Senhor. Louvo-o por todas as dádivas que o Senhor tem me dado. Ajuda-me a confiar no Senhor e a dar-lhe glória em todas as circunstâncias. Em nome de Jesus, amém.

A espada do Espírito

Não andem ansiosos por coisa alguma, mas em tudo, pela oração e súplicas, e com ação de graças, apresentem seus pedidos a Deus (Filipenses 4:6).

Deem graças em todas as circunstâncias, pois esta é a vontade de Deus para vocês em Cristo Jesus (1Tessalonicenses 5:18).

Portanto, já que estamos recebendo um Reino inabalável, sejamos agradecidos e, assim, adoremos a Deus de modo aceitável, com reverência e temor (Hebreus 12:28).

Por meio de Jesus, portanto, ofereçamos continuamente a Deus um sacrifício de louvor, que é fruto de lábios que confessam o seu nome (Hebreus 13:15).

Vocês, porém, são geração eleita, sacerdócio real, nação santa, povo exclusivo de Deus, para anunciar as grandezas daquele que os chamou das trevas para a sua maravilhosa luz (1Pedro 2:9).

Perguntas para a discussão em um pequeno grupo

1. Você tende a ter uma perspectiva de "copo meio cheio" ou de "copo meio vazio"? Por quê? Como isso influencia sua capacidade de manter uma atitude de gratidão?
2. Quem é a pessoa mais agradecida que você conhece? Como ele ou ela demonstra gratidão? O que você aprendeu sobre o agradecimento com essa pessoa?
3. Como você pode adicionar mais gratidão em sua vida de oração e em suas interações com seu marido e seus filhos? Você tem um diário de gratidão? Se não tiver, compre um caderno especial ou diário para registrar seus momentos de gratidão e as bênçãos de Deus.
4. Qual a bênção mais recente que Deus lhe concedeu? Você agradeceu a ele? Como? Se não, faça isso agora. Pense em um lembrete palpável que possa mostrar ou criar para ajudar a comemorar a inspiradora obra de Deus em sua vida.

Capítulo 2

Ore recitando as Escrituras

Sua palavra em minha boca é uma poderosa arma que garante a vitória no dia de conflito.

John Quigley[3]

Rebecca[4] estava aprendendo a memorizar e a orar recitando as Escrituras. Certo dia, ela parou o carro no farol vermelho quando um homem usando uma máscara de esqui abriu com força a porta do passageiro. Ele invadiu o carro, apontou uma arma para a cabeça de Rebecca e gritou:

— Dirija!

Rebecca começou a orar em silêncio, implorando ao Senhor para protegê-la. Ela memorizara Salmos 91:4, que diz: "Ele o cobrirá com as suas penas, e sob as suas asas você encontrará refúgio; a fidelidade dele será o seu escudo protetor." Ela tentou recitar essa passagem, mas, devido ao susto, não conseguiu se lembrar de nenhuma palavra desse salmo.

Aturdida, ela gritava sem pensar:

— Penas, penas, penas!

O homem a encarou:

— Moça, você é louca! — exclamou ele, enquanto saía do carro e desaparecia na rua.

---

[3] QUIGLEY, John, cf. ROSE, Jeanie. "How to Pray Scripture". http://www.pray-the-scriptures.com/howtoprayscripture/howtoprayscripture.html.

[4] Esse não é seu nome real.

A Palavra de Deus funciona de maneiras surpreendentes! Todos os dias, enquanto você explora os tesouros das Escrituras, ele semeia a verdade dele na sua mente e a grava na tábua do seu coração. Enquanto você ora a Palavra viva, ativa e poderosa do Senhor na vida dos seus filhos, Deus usa isso para proteger você e a sua família contra as estratégias destrutivas do Inimigo.

Talvez o fato de orar recitando as Escrituras soe intimidante, mas na verdade é bastante simples e recompensador. Não há maneira certa ou errada de fazê-lo, e você fica mais confiante com a prática. Comece escolhendo uma passagem das Escrituras da seção "Espada do Espírito" no fim deste capítulo. A seguir, torne-a sua ao incorporar cada frase da passagem nas suas orações. Acrescente o *nome* dos seus filhos e também especifique os detalhes sobre as suas necessidades e sobre as suas lutas pessoais e sua caminhada espiritual. Pode fazer isto acrescentando palavras como *ele, ela, dele, seu* e *sua* para personalizar a passagem bíblica.

Digamos que deseja orar o seguinte versículo do fim deste capítulo: "A tua palavra é lâmpada que ilumina os meus passos e luz que clareia o meu caminho" (Salmos 119:105).

Se orar essa passagem, posso dizer: "Senhor, obrigada por prover sua Palavra para nos dar luz e direção. Louvo-o porque o Senhor não quer que eu e os meus filhos caminhemos nas trevas. Sou grata por sua Palavra, que irradia luz para iluminar o nosso caminho. Por favor, mantenha os meus filhos no caminho correto e estreito da sua vontade. Ajude-os a conhecer e amar a sua Palavra, a Bíblia. Mantenha-os sempre caminhando em sua luz e impeça que Satanás os desvie. Em nome de Jesus, amém."

Ore por quem seus filhos são e por quem você gostaria que eles se tornassem. Peça a Deus para que os transforme em adultos abençoados e para que os fortifique e os proteja da tentação enquanto ameniza as suas fraquezas. Se algum dos seus filhos se desviou dos ensinamentos de Deus, peça para que ele o encha de saúde, resistência, plenitude, sabedoria e salvação.

Uma excelente forma de abençoar os seus filhos por meio da oração é encontrar as Escrituras que estejam ligadas ao nome, aos traços de personalidade e às qualidades de caráter deles (tanto as que já têm como as que gostaria que eles desenvolvessem). O nome é importante para Deus; portanto, deve ser importante para nós.

Descubra o significado do nome dos seus filhos e use-o quando orar por eles. Compre um livro de significados de nomes ou faça uma pesquisa on-line para descobrir não só o sentido literal e a língua de origem, mas também o sentido e a conotação espiritual deles. Examine também o sentido de seu próprio nome; talvez você se surpreenda com o que encontrar! Saber o significado do seu nome e ter confiança na sua identidade espiritual fortalece a sua vida de oração.

Um dos melhores livros que encontrei foi *The Name Book* [O livro de nomes], de Dorothy Astoria. A autora enumera a língua/origem cultural de mais de dez mil nomes, junto com o sentido inerente e a conotação espiritual deles. Ela também fornece uma passagem bíblica relevante para cada um. Segundo esse livro, o nome do meu filho Evan é de origem irlandesa, significa "jovem guerreiro", e o seu sentido espiritual é "nobre protetor". A passagem bíblica apresentada para esse nome é Filipenses 4:13: "Tudo posso naquele que me fortalece."

Digamos que a sua filha adolescente, Zoe, está num dilema para conseguir tomar boas decisões, e você está preocupada com os relacionamentos e a reputação dela. Pode orar: "Deus, o Senhor diz, em Provérbios 22, que um bom nome tem de ser mais desejado que grande riqueza e que o favor é melhor que prata e ouro. Oro para que o Senhor conceda à minha filha, Zoe, um bom nome e um grande favor com o Senhor e com os outros. Seu nome significa 'vida', Pai, e oro para que a sua vida seja plena de alegria e o agrade. Não deixe Zoe tomar decisões que machucarão o seu coração, o seu corpo, a sua mente, o seu espírito ou a sua reputação. Ajude-a a conseguir favor em tudo o que faz e todos os lugares aonde vai. Ajude-a a se ver como o Senhor a vê, tão bela e perfeitamente amada. Em nome de Jesus, amém."

Outra forma de orar recitando a Escritura é se conectando com outras mulheres que gostam de memorizar e orar a Palavra de Deus. Se você for nova no cenário de oração ou se ainda está investigando o que é o cristianismo, encontre alguma mulher madura na fé que tenha mais experiência com esse tipo de oração. Você aprenderá muito!

Escreva as suas passagens favoritas em um cartão e personalize-as com o nome dos seus filhos. Leve-as na bolsa ou na carteira, leia-as e ore sobre elas ao longo do dia. Talvez você também queira escrever essas promessas bíblicas especiais e dá-las para que os seus filhos as carreguem com eles ou as pendurem nos seus quartos. Esse é um lembrete palpável de que ora por eles. Por exemplo, o nome Sarah significa "princesa". Você pode escrever: "Sarah, você é a bela princesa de Deus. Ele a ama demais. Oro para que você caminhe com Jesus todos os dias. Oro para que Deus a abençoe e a proteja, dê-lhe sabedoria e graça em todas as situações. Confie nele para tudo. Com amor, mamãe."

Leia diferentes versões dos versículos que está memorizando e sobre os quais está meditando. Pode fazer isso examinado algumas Bíblias com diferentes traduções ou ao usar um recurso on-line, como a Bíblia On-Line. Simplesmente digite www.bibliaonline.com.br e pode pesquisar qualquer palavra, frase, nome, versículo ou passagem de toda a Bíblia. Além disso, você pode escolher várias traduções de uma lista de cinco versões. Cada tradução apresenta nuanças de sentido e percepção teológica que esclarecem as Escrituras para você.

Além disso, junte alguns recursos com estudos bíblicos para você. Pode usar um dicionário para examinar o sentido das palavras. Depois, pode recorrer a um comentário bíblico para explicar o sentido dos versículos e das passagens bíblicas. Para este livro, usei ferramentas em grego e hebraico e também o *The Strongest Strong's Exhaustive Concordance* [A concordância mais completa de Strong]. Essas concordâncias estão disponíveis em várias traduções da Bíblia e usam um sistema numérico simples que permite que você encontre e leia o sentido de palavras gregas e hebraicas por si mesma.

Conhecer e orar a Palavra de Deus são atitudes essenciais para o seu papel de Mãe Guerreira de Oração. Em Efésios 6, Deus nos chama para nos armar completamente. A maior parte dessa munição é para a nossa proteção e para a nossa defesa: *nossa principal "arma ofensiva" é a Palavra oficial de Deus, a Bíblia!* Se você e eu não memorizamos nem declaramos as Escrituras, sempre estaremos na defensiva em nossa batalha contra Satanás. Com a Palavra de Deus no nosso coração, podemos servir como "detectores de minas" para os nossos filhos, indo à frente deles e limpando o caminho dos obstáculos físicos e espirituais.

Jesus mesmo batalhou com Satanás usando a espada do Espírito, a Palavra de Deus memorizada.

Satanás desafiou Jesus com diversas tentações no deserto: "Se você é o Filho de Deus, mande que estas pedras se transformem em pães" (Mateus 4:3).

Jesus respondeu: "Está escrito: 'Nem só de pão viverá o homem, mas de toda palavra que procede da boca de Deus.'" (Mateus 4:4). Jesus tinha jejuado durante quarenta dias no deserto. Seu desejo por pão devia ser imenso. Entretanto, ele esclareceu o porquê de a Palavra de Deus ser mais preciosa e mais vital para a nossa vida até mesmo do que o alimento diário.

Na verdade, João 1:1 apresenta Jesus como "a Palavra". Ele nos dá salvação, inspiração, vida e luz. *Logos*, o termo grego para *palavra*, descreve Jesus como aquele que revela o Pai e expressa totalmente a divindade.

Jesus chegou ao mundo para redimir a criação amada de Deus. Ele se tornou "Deus de carne e osso". Ele viveu a verdade de Deus; por isso, as Escrituras o chamam de a Palavra encarnada (João 1:14). Ele não só cumpriu as Escrituras, mas também se tornou a culminação de toda a revelação (Hebreu 1:1-2). Por intermédio dele, o amor de Deus Pai fluiu no mundo quando Jesus assumiu a forma humana. Essa encarnação representa um dos maiores mistérios espirituais de todos os tempos: o Filho unigênito se tornou Emanuel — "Deus conosco" (Mateus 1:23).

Quando escolhemos confiar em *toda palavra* que Deus disse e quando implantamos sua Palavra bem fundo no nosso espírito, nós nos equipamos para vencer todas as batalhas que Satanás trava. Nunca esqueça que Satanás busca ativamente invadir e capturar o coração, a alma e o espírito dos nossos filhos. 1Pedro 5:8 adverte: "Sejam sóbrios e vigiem. O diabo, o inimigo de vocês, anda ao redor como leão, rugindo e procurando a quem possa devorar."

Em Jeremias 29:11, Deus promete um plano magnífico para a vida dos nossos filhos; algo bom, maravilhoso e redentor. Você percebeu que Satanás também tem um plano para os nossos filhos? Algo terrível e destrutivo. Ele quer destruir o povo de Deus, independentemente do que isso custe. E ele sabe que, se conseguir desviar ou prejudicar os nossos filhos, nos enfraquecerá com preocupação, estresse, medo, culpa, vergonha e amargura.

O livro *Prayers for Prodigals: 90 Days of Praying for Your Child* [Orações pelos pródigos: noventa dias de oração por seu filho], de James Banks, contém algumas das orações mais comoventes das Escrituras que já li. Se tiver um filho ou filha pródiga, acredito que encontrará grande conforto em orações como a seguinte, com base em 2Tessalonicenses 2:16-17: "Que o próprio Senhor Jesus Cristo e Deus nosso Pai, que nos amou e nos deu *eterna consolação e boa esperança* pela graça, dê ânimo aos seus corações e os fortaleça para fazerem sempre o bem, tanto em atos como em palavras" (grifo da autora).

O autor escreve:

> "Eterna consolação *e* boa esperança."
>
> Preciso de fato das duas coisas agora mesmo.
>
> Não só para mim, mas para meu filho.
>
> Ele está longe de você e precisa vir para casa...
>
> Ajude-me a orar, Senhor Jesus... *Ensina-me* a orar...
>
> Encha-me de seu Espírito e deixe seu amor fluir na vida de meu filho por meu intermédio.
>
> Como a viúva que continuou a bater à porta do juiz até seu pedido ser respondido (Lucas 18:3), ajude-me a perseverar em oração "dia e noite" (Lucas 18:7) para que eu veja progresso real no coração de meu filho.
>
> Jesus, o Senhor disse que "tudo é possível àquele que crê" (Marcos 9:23).
>
> "Creio, ajuda-me a vencer a minha incredulidade!" (Marcos 9:24).
>
> Salve meu filho, Senhor! Agradeço de antemão pelo que o Senhor fará para resgatá-lo do "domínio das trevas" e trazê-lo para o seu "reino da luz" (Colossenses 1:12-13).[5]

Essa oração pungente do coração de um pai sofredor ilustra o espantoso poder das Escrituras para curá-lo e para levar os nossos filhos pródigos para casa.

Uma Mãe Guerreira de Oração descreve algumas das maneiras pelas quais podemos declamar as Escrituras que memorizamos a fim de frustrar os planos de Satanás para destruir os nossos filhos. Ela escreveu:

> Discipline a sua mente e a sua língua. Memorize pelo menos uma passagem das Escrituras por semana e a ensine aos seus filhos. Introduza regularmente passagens bíblicas no seu coração e na sua mente, e o Espírito Santo permitirá que você as use quando mais precisar.

[5] BANKS, James. *Prayers for Prodigals*: 90 Days of Prayer for Your Child. Grand Rapids: Discovery House, 2011, p. 18.

> Assuma uma posição e faça a sua declaração de fé: sou curada pelas feridas de Jesus. Nenhuma arma apontada contra mim prosperará. Satanás, você não dominará os meus filhos. Eles pertencem a Deus e os reivindico para o Reino dele. Tenho a mente em Cristo, e todos os meus pensamentos são cativos à obediência a Cristo... Satanás, quebro as suas fortalezas para impedi-lo de causar danos à minha família. Abro mão de toda a minha rebelião e de todos os meus pecados e me submeto ao senhorio de Jesus Cristo.[6]

Quando você ora ativamente a passagem bíblica pelos seus filhos, lança a fundação espiritual que engaja Deus e os seus santos anjos a operar em favor deles. Inunde os seus filhos em orações das Escrituras, e Satanás vai embora. A Bíblia diz: "Submetam-se a Deus. Resistam ao diabo e ele fugirá de vocês" (Tiago 4:7).

---

[6] DELGADO, Iris. *Satan, You Can't Have My Children*. Lake Mary, FL: Charisma House, 2011, p. 78, 114-15.

Oração de hoje

Querido Senhor, obrigada por me mostrar que a sua Palavra me faz vencer Satanás e todas as suas obras malignas. Reivindico o poder da sua Palavra para guiar, proteger, saciar e restaurar a mim e aos meus filhos. Ensine os meus filhos a amar os seus princípios e as suas ordens. Ajude-os a reconhecer que a sua verdade foi dada para a nossa alegria, para o nosso bem e para a nossa proteção.

Senhor, por favor, revele-me as passagens que deseja que eu use para orar pelos meus filhos. Dê-me sabedoria para usar os significados do nome dos meus filhos em oração. Guie-me e dê-me clareza à medida que fico mais confiante em orar a sua Palavra. Ilumine as Escrituras para mim. Ajude-me a personalizá-las para mim e para os meus filhos. Creio com fé, confiante de que o Senhor garante o progresso para mim e os meus filhos e de que a sua Palavra viva e ativa derruba as fortalezas de Satanás na nossa vida. Senhor, não deixarei que Satanás domine os meus filhos. Eles pertencem ao Senhor. Acredito que tenha preparado um lugar para eles com você no céu. Por favor, continue a abençoá-los enquanto oro a sua Palavra em prol deles. Infunda a nossa família com o seu amor, com a sua alegria, com a sua paz e com a sua união. Em nome de Jesus, amém.

A espada do Espírito

"A tua palavra é lâmpada que ilumina os meus passos e luz que clareia o meu caminho" (Salmos 119:105).

"Assim também ocorre com a palavra que sai da minha boca: ela não voltará para mim vazia, mas **fará** o que desejo e atingirá o propósito para o qual a enviei" (Isaías 55:11).

"Pois a palavra de Deus é viva e eficaz, e mais afiada que qualquer espada de dois gumes; ela penetra até o ponto de dividir alma e espírito, juntas e medulas, e julga os pensamentos e intenções do coração" (Hebreus 4:12).

"Pela fé entendemos que o universo foi formado pela palavra de Deus, de modo que o que se vê não foi feito do que é visível" (Hebreus 11:3).

"A relva murcha e cai a sua flor, mas a palavra do Senhor permanece para sempre" (1Pedro 1:24-25).

Perguntas para a discussão em um pequeno grupo

1. Que tipo de experiência você já teve ao orar recitando as Escrituras? Depois de ler este capítulo, que métodos de orar recitando a Palavra de Deus você acha que funcionarão melhor no seu caso? Enumere algumas maneiras de orar recitando as Escrituras para os seus filhos esta semana.
2. Pesquise o nome de seus filhos na internet ou em um livro de nomes. Que significados você encontrou? Que percepções espirituais adquiriu após a pesquisa? Esses significados parecem corresponder aos dons e à personalidade dos seus filhos? Por quê?
3. Pesquise o seu nome. O que descobriu? Você sente que o seu nome e o significado dele têm a ver contigo? Que relevância espiritual tem seu nome? Como isso influencia seu papel como Mãe Guerreira de Oração?
4. Jesus, como a Palavra encarnada, é o autor da sua fé — o autor da história da sua vida. Como isso afeta a sua perspectiva em relação à sua vida e ao seu chamado como mãe? Como acha que a sua história (e a dos seus filhos) se desenvolverá nos próximos anos?

Capítulo 3
Fique no vão

Aposse-se do trono da graça e persevere nele, e a misericórdia descerá sobre você.

John Wesley

Alguns verões atrás, meu marido, David, passou diversos dias em Londres antes de ir à Romênia — onde ele nasceu. (Nós nos conhecemos lá em 2008 quando trabalhávamos para um ministério de órfãos. Nunca se sabe quando ou onde Deus a apresentará à sua alma gêmea!) Durante o tempo de David no Reino Unido, ele me presenteou com várias coisas divertidas e também com muito chocolate europeu. Amo esse homem!

Um dos presentes era uma linda camiseta enfeitada com o popular logotipo "Mind the Gap". No metrô de Londres, esse anúncio adverte os passageiros para ter cuidado ao atravessar o vão entre a porta do trem e a plataforma da estação. "Atenção ao espaço entre o vagão e a plataforma" também não é um lema ruim para nós, Mães Guerreiras de Oração!

Antes da Queda do homem, a oração não era necessária. Adão e Eva desfrutavam a comunhão perfeita com Deus e de um para com o outro no jardim do Éden. Entretanto, o pecado introduziu um vão na equação, criando um abismo entre a humanidade e Deus. Esse abismo ainda existe, mas não podemos atravessá-lo sozinhos. Contudo, podemos nos regozijar porque Jesus escolheu dar "atenção ao espaço entre o vagão e a plataforma" por nós. Ele sacrificou voluntariamente a sua vida por nós na cruz. A sua morte e a sua ressurreição construíram uma ponte de salvação através do abismo do pecado que antes nos separava do nosso Pai celestial. Quando Jesus deu "atenção ao espaço entre o vagão e a plataforma" por nós, ele nos reconciliou (nós, pecadores) com um Deus santo.

Como Mães Guerreiras de Oração, temos a alegria de ficar no vão pelos nossos filhos através da intercessão poderosa por eles diante do nosso Pai celestial.

Deus, em diversos casos das Escrituras, olhou para o pecado de seu povo e buscou um intercessor — um homem ou uma mulher que conseguisse enxergar a situação com olhos espirituais. Ele buscava alguém que "tomaria posse do trono de Deus", entendendo a seriedade do problema do pecado. Ele chamou para Guerreiro de Oração quem se ajoelharia e pediria a Deus para agir, mudar, salvar, perdoar e reconciliar essa ruptura no sistema.

O profeta Ezequiel registrou as palavras do Senhor: "'Procurei entre eles um homem que erguesse o muro e se *pusesse na brecha* [no vão] diante de mim e em favor da terra, para que eu não a destruísse, mas não encontrei nem um só'" (Ezequiel 22:30; grifo da autora). E Salmos 106:23 declara: "Por isso, ele ameaçou destruí-los; mas Moisés, seu escolhido, *intercedeu diante dele* [no vão], para evitar que a sua ira os destruísse" (grifo da autora).

Deus ainda busca Guerreiros de Oração para ficar no vão em favor dos seus amados filhos. Ele pensa: "Estou à procura de uma mulher que ficará no vão diante de mim em favor dos seus filhos para que Satanás não os destrua, mas também para que eu possa abençoá-los, cobri-los, preservá-los, protegê-los e prover para eles." Sou tão agradecida por você ter escolhido se levantar e ser essa mulher corajosa e fiel!

Jennifer Kennedy Dean, em seu excelente livro *Live a Praying Life* [Leve uma vida de oração], fornece um útil modelo que ilustra como Deus escolhe operar quando "ficamos no vão" por nossos filhos.

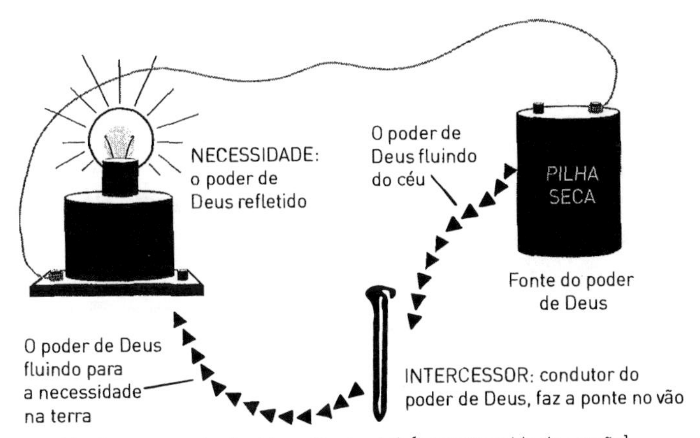

Usado com permissão. *Live a Praying Life* [Leve uma vida de oração], de Jennifer Kennedy Dean, New Hope Publishers, newhopedigital.com.

Nessa ilustração, a pilha seca representa o poder de Deus, pronto e à espera de ser liberado. A lâmpada representa a necessidade na terra.

O amor de Deus por nós cria um circuito no qual seu poder e a nossa necessidade estão conectados. Ele é aquele que nos busca; nós não o buscamos. Romanos 3:11 afirma: "Não há ninguém [...] que busque a Deus." Pense na nossa vida na terra como um jogo de xadrez em que Deus já fez o primeiro movimento. Seu poder sempre flui em direção às nossas necessidades. Não tivemos que fazer nada para que esse fluxo começasse. O amor, as riquezas, a misericórdia e a provisão dele já estão se movendo em nossa direção.

No entanto, por causa do pecado, o fluxo do poder é interrompido por um hiato entre o céu e a terra. É necessário um condutor (essa é você, a Mãe Guerreira de Oração, a intercessora!) para o poder de Deus ser canalizado através dele. Uma corrente elétrica não se locomove no ar sem um condutor (representado no diagrama pelo prego de metal).

Quando ficamos no vão por intermédio da oração, tornamo-nos o condutor do poder e da vontade de Deus e os ligamos às circunstâncias da terra. Completamos o circuito.[7]

Quando você e eu escolhemos ficar no vão pelos nossos filhos, captamos as bênçãos que Deus preparou para eles. Em 1Coríntios 2:9:

[7] DEAN, Jennifer Kennedy. *Live a Praying Life*. Edição de aniversário nova e revisada. Birmingham: New Hope Publishers, 2010, p. 51-52. Diagrama usado com permissão.

"Olho nenhum viu, ouvido nenhum ouviu." Efésios 2:10 afirma: "Porque somos criação de Deus realizada em Cristo Jesus para fazermos boas obras, as quais Deus preparou de antemão para que nós as praticássemos."

Imagine as ricas bênçãos empilhadas e transbordando do céu para você e para os seus filhos. Gosto de imaginar um baú de tesouro imenso reservado no céu para cada um dos meus filhos. Um tem o nome de Evan escrito nele, e o outro traz o nome de Eden. Meu marido e eu, por intermédio da oração, temos o poder de abri-los e liberar para a terra as bênçãos para os nossos filhos. Você também pode fazer isso!

O momento pode ser crítico quando se trata de ficar no vão pelos nossos filhos. Dutch Sheets, autor de *Oração intercessória*,[8] observa que a Bíblia usa dois termos principais para *tempo*: *chronos*, cujo sentido é o tempo real do dia, e *kairos*, que significa "o momento certo", "o tempo oportuno" ou "o tempo determinado". Ficar no vão exige que estejamos alertas pelos nossos filhos e que sejamos sensíveis ao tempo do Espírito Santo. Às vezes, ele nos leva a orar pelos nossos filhos em *determinada hora*, quando eles enfrentam um perigo ou uma tentação específica. Ele nos chama a interceder (do grego, *paga*) a fim de estabelecer os limites da proteção espiritual e física em torno dos nossos filhos. (O termo *paga* significa "encontrar ou alcançar".)

Sheets fornece o seguinte testemunho de uma Mãe Guerreira de Oração que, poderosa, fica no vão por seu filho durante o *kairos* (o tempo "designado" ou "oportuno"):

> Diversos anos atrás uma amiga de Dallas vivenciou uma interessante resposta de oração em uma situação *kairos*. Ela tinha ido de manhã cedinho visitar o filho e a nora. Ele trabalhava no turno da noite, e por isso a esposa e a mãe se encontraram enquanto aguardavam o retorno dele.
>
> À medida que o tempo passava e o filho não chegava, a mãe começou a ficar inquieta. Algo parecia não estar certo. Achando que talvez ele ainda estivesse no trabalho, elas telefonaram para lá.
>
> — Não, ele já foi embora — foram informadas.
>
> A mãe, ficando mais alarmada, disse:

[8] Rio de Janeiro: Lan Editora, 2012.

— Estou preocupada. Vamos dirigir até o trabalho dele.

Ela tinha presumido que o filho tinha saído do trabalho no horário normal de ir para casa, mas, na verdade, ele tinha saído momentos antes de elas telefonarem. O Senhor a estava orientando até nisso porque, embora ele ainda não estivesse correndo nenhum perigo, o Espírito Santo sabia que esse jovem passaria por um momento *karios* e queria que essa mãe orasse ali quando isso acontecesse.

Enquanto elas iam para o trabalho dele em uma movimentada alameda de Dallas, elas o viram vindo da outra direção em sua motocicleta a cerca de 60-80Km/h.

Enquanto elas observavam, ele cochilou e saiu da rua, bateu no meio-fio e voou de 12 a 15 metros no ar. Ele não estava com capacete. Enquanto o rapaz voava no ar, a mãe orava: "Jesus, proteja o meu filho."

Ela continuou a orar enquanto elas retornavam em direção a ele. Já havia uma multidão em torno dele, e elas correram para a cena se perguntando o que encontrariam. Encontraram um milagre! Nenhum ferimento — nenhum osso quebrado, nenhuma laceração, nenhuma lesão interna. Apenas um jovem atordoado perguntando o que aconteceu. Foi um *kairos paga*! As fronteiras aconteceram. A mãe pegou o aviso do Espírito Santo e, por isso, estava no lugar certo na hora certa.

Isso significa que, se você não estiver ali orando quando um ente querido tiver um acidente, o ferimento ou morte dele será sua culpa? É claro que não. Se todos nós jogássemos esse jogo de adivinhação, ficaríamos loucos. Isso significa simplesmente que temos de ficar atentos e, quando o Espírito Santo nos alerta, temos de responder orando — construindo alguns limites.[9]

Uma caminhada em oração **é** outro excelente exercício para interceder por seus filhos e ficar no vão por eles. Descobri que caminhar ou me exercitar estimula a minha mente enquanto oro e que orar em voz alta enquanto caminho mantém as minhas orações mais focadas. Caminhar orando com o seu marido, com os seus filhos, com outro membro da família ou com uma amiga **é** uma maneira divertida de ficar em forma e de passar tempo juntos enquanto intercede por seus filhos.

---

[9] SHEETS, Dutch. *Intercessory Prayer*. Google e-books ed. Ventura, CA: Regal Books, 2008, p. 97-99.

Mark Batterson, em seu livro *The Circle Maker* [O inventor do círculo], fala da relevância espiritual de estabelecer objetivos e depois fazer círculos de oração em torno deles, como os israelitas que deram 13 voltas em torno dos muros de Jericó antes de tomar a cidade. Ele escreveu:

> Jesus estava a caminho de Jericó quando dois homens cegos acenaram para ele: "Filho de Davi, tem misericórdia de nós." Jesus para e responde com uma pergunta incisiva: "O que vocês querem que eu lhes faça?"
>
> Jesus os forçou a definir exatamente o que desejavam dele — a verbalizar o seu desejo. Ele os fez expressá-lo, mas não porque não soubesse o que eles queriam; mas para que tivessem certeza de que *eles* sabiam o que queriam.
>
> A maioria de nós não tem ideia do que quer de Deus, e é por isso que as nossas orações, além de serem entediantes para nós, são monótonas para Deus. A fé bem-desenvolvida resulta em orações bem-definidas; e orações bem-definidas resultam em uma vida bem-aproveitada.
>
> Não leia apenas a Bíblia. Comece a destacar as promessas.
>
> Não deseje apenas. Escreva uma lista de objetivos de vida que glorificam a Deus.
>
> Não ore apenas. Mantenha um diário de oração.
>
> Defina seu sonho.
>
> Reivindique sua promessa.
>
> Escreva seu milagre.
>
> A batalha de Jericó é descrita de muitas maneiras distintas. Se você tem câncer, ela é escrita como *cura*. Se seu filho está afastado de Deus, ela é escrita como *salvação*. Se seu casamento está desmoronando, ela é escrita como *reconciliação*. Se você tem uma visão além de suas riquezas, ela é escrita como *provisão*.[10]

Quando li o relato bíblico da batalha de Jericó, Deus salientou duas verdades poderosas em meu espírito. Primeiro: ele me lembrou de que os israelitas não tiveram nem mesmo de lutar na dita "batalha" de Jericó.

---

[10] BATTERSON, Mark. *The Circle Maker.* Grand Rapids: Zondervan, 2011, p. 21-23.

Deus já lhes tinha dado a vitória; eles simplesmente tinham de seguir suas instruções e tomar a cidade. Durante seis dias, eles andavam em torno da cidade uma vez. No sétimo dia, andaram em torno da cidade sete vezes. Então deram um grito poderoso, e os muros da cidade caíram.

Segundo: o Senhor trouxe à luz um aspecto surpreendente da história. Depois de os israelitas tomarem a cidade, Josué advertiu o povo: "Maldito seja diante do SENHOR o homem que reconstruir esta cidade de Jericó: 'Ao preço de seu filho mais velho lançará os alicerces da cidade; ao preço de seu filho mais novo porá suas portas!'" (Josué 6:26).

Sacrificando o primogênito — para mim seria o meu filho, Evan.

Sacrificando o filho mais novo — para mim seria a minha filha, Eden.

Isso é algo sério. Quando Deus derruba os muros para nós e para os nossos filhos, quando ele destrói a cidade construída pelos nossos inimigos, temos de escolher viver em um novo lugar de vitória. Se escolhermos viver no passado e tentarmos "reconstruir os muros" de Jericó, sacrificamos literalmente a vida dos nossos filhos.

Não junte tijolos do medo nem os use para reconstruir os muros. Não tente refazer o passado; isso é impossível. Por intermédio do poder de Deus, sua Jericó se foi!

Anos atrás, li a história de Carol Kent, uma inspiradora Mãe Guerreira de Oração. Seu único filho, Jason, era uma dessas crianças aparentemente "perfeitas": aluno que só tirava notas boas, educado, formado na Academia Naval de Annapolis, nos Estados Unidos, e que continuou seus estudos para se tornar tenente da Marinha. Jason se casou com uma doce menina chamada April, que tinha duas filhas do primeiro casamento — Chelsea e Hannah. Ele amava essas duas meninas como se fossem suas filhas.

No entanto, com o tempo Jason começou a se preocupar e a ficar agitado porque as filhas passavam muito tempo com o pai biológico, Douglas. Este tinha abusado sexualmente de April, e Jason suspeitava que poderia ter feito o mesmo com as meninas. Douglas começou a pedir visitas não supervisionadas a suas filhas por intermédio da justiça, e Jason ficou preocupado com a proteção delas.

Certa noite, Jason foi de carro até Orlando, Flórida, onde Douglas vivia. Ao achar Douglas, atirou e o matou em um estacionamento. Ninguém imaginava que esse "modelo de homem" seria capaz de um ato tão chocante.

Atordoada, Carol e o marido, Gene, lutaram para valer para ficar no vão por Jason. Carol registrou seu diário de família em meio a essa provação em seu livro *When I Lay My Isaac Down* [Quando renuncio a meu Isaac]. No livro, ela descreve um tipo de "oração como as caminhadas em torno de Jericó" que se sentiu levada a adotar enquanto o filho aguardava o julgamento:

> Planejamos com April [minha nora] orar em volta do complexo penitenciário em Orlando, como nas caminhadas em torno de Jericó, antes de começar a seleção do júri. Fizemos isso duas vezes em dois anos e meio. A caminhada em torno do prédio gigantesco levou muito tempo, e oramos com ardor pelo juiz, pelo promotor e pelos advogados da empresa J.P. Pedimos a Deus que protegesse Jason e lhe desse força e sabedoria; oramos pela sua conduta na corte e por discernimento na oferta de acordo, mesmo já às vésperas do julgamento.

Carol e os membros de sua família acreditavam que o juiz e o júri entenderiam a angústia de Jason quanto ao abuso que achou que as suas tinham experimentado. Eles confiavam e oravam para que o júri levasse em consideração o serviço militar de Jason, o seu caráter e a sua conduta impecável até aquele ponto.

No entanto, a corte sentenciou Jason à prisão perpétua, fato que na Flórida não possibilita liberdade condicional.

Carol diz: "A sentença de Jason foi um golpe quase fatal em minha fé. Não conseguia entender por que Deus deixou isso acontecer. [...] *Meu* Deus era um Deus salvador, uma ajuda presente em momentos complicados, um Deus de milagres e segundas chances, um Deus que ouvia e respondia as orações, um Deus de misericórdia e graça. Eu achava que tinha uma fé capaz de mover montanhas."[11]

Nenhum pai e nenhuma mãe jamais escolheriam passar por uma experiência semelhante à de Carol, mas sua história fortalece milhões de pais do mundo inteiro que estão sofrendo, encorajando-os a lutar de cabeça erguida quando têm de "renunciar a seu Isaac".

Perceba que Carol descobriu que, mesmo na pior circunstância imaginável, Deus ainda estava ali. Ele ainda a amava. Ainda abençoava

[11] KENT, Carol. *When I Lay My Isaac Down*. Colorado Springs: NavPress, 2004, p. 135-36.

e protegia Jason mesmo em uma cela de prisão. Carol, Gene e Jason começaram um ministério na prisão denominado Speak Up for Hope [Levante a Voz por Esperança], através do qual proveem assistência prática e compartilham o evangelho com milhares de detentos e suas famílias. Deus mostrou a Carol que tinha um propósito para Jason, embora o Senhor tenha chamado essa mãe fiel a sacrificar no altar o "plano de vida perfeita" que tinha previsto para o filho.

Para mim, a história de Carol se tornou um divisor de águas em relação a como percebo Deus e como o abordo em oração. Veja, o nome de Deus é EU SOU, e não EU FAÇO.

Às vezes abordamos a oração como se ela dissesse respeito ao que Deus pode fazer por nós. Mas na verdade ela é sobre louvar a Deus por quem ele é. Temos de estar dispostos a aceitar Deus mesmo quando ele não faz o que achamos que devia fazer. Temos de estar dispostos a aceitar a resposta: "Minha graça é suficiente para você" (2Coríntios 12:9).

A história de Carol também me lembra de agradecer pela bênção constante que é conviver com meus filhos, agradeço a Deus por todos os dias que posso conversar e rir com eles, deitar com eles, ler uma história para eles e correr meus dedos pelo cabelo deles. Todos os dias, lembro-os de que são meu "tesouro inestimável", e eles são!

FAÇA UMA ORAÇÃO COMO AS CAMINHADAS EM TORNO DE JERICÓ

Recentemente, senti que o Senhor me orientava a fazer uma "oração como as caminhadas em volta de Jericó" para tratar de algumas atitudes de coração e emoções que pareciam estar oprimindo meu espírito.

Ao dar sete voltas em torno da minha casa, orei: "Senhor, reivindico a sua vitória sobre essas atitudes em nome de Jesus Cristo. O Senhor não me deu um espírito descrente, mas pegou meu manto de desespero e me cobriu com um manto real de louvor. Em nome de Jesus Cristo, amarrei Satanás e não permitirei mais que ele influencie os meus pensamentos nessas áreas. Derrube os muros dessas atitudes e nunca permita que sejam reconstruídos."

Durante a minha caminhada orei a Deus para substituir:

- Meu sentimento de desesperança por um espírito "de toda alegria e paz, por sua confiança nele" e me dar "um manto de louvor" no lugar de meu "espírito deprimido" (Romanos 15:13; Isaías 61:3).

- Meu medo e raiva por um espírito "de poder, de amor e de equilíbrio" (2Timóteo 1:7).
- Meu desespero e depressão por um espírito de esperança e louvor pela ajuda de Deus (Salmos 42:5).
- Meu sentimento de vitimização por um espírito de vitória por intermédio de Jesus Cristo (1Coríntios 15:57).
- Meu caos e minha desordem pela "sabedoria que vem do alto", que é "pura, [...] pacífica, amável, compreensiva, cheia de misericórdia e de bons frutos, imparcial e sincera" (Tiago 3:17).
- Minha incapacidade de perdoar por um espírito de perdão fundamentado no próprio perdão e redenção que recebi por intermédio do sangue de Jesus, de acordo com as riquezas de sua graça (Efésios 1:7).
- Meu sentimento de amargura por um espírito de amor e aceitação ao me livrar "de toda amargura, indignação e ira, gritaria e calúnia", para que saíssem de mim e para que eu conseguisse ser "bondosa e compassiva [...] com os outros, perdoando-nos mutuamente, assim como Deus perdoou em Cristo" (Efésios 4:31-32, parafraseado).

Enquanto dava sete voltas em torno da minha casa, orei para Deus acabar com a minha depressão e estar completamente presente em minha casa e família. Orei: "Senhor, mantenha a mim e aos meus filhos, agora e para sempre, livres de todas essas emoções e atitudes de derrota." Ao jogar esses fardos sobre o Senhor, senti que ele suspendia do meu corpo o peso espiritual da depressão e tirava as escamas de dor dos meus olhos.

De repente passei a perceber pequenas coisas que não tinha visto antes: pequenos sinais de esperança, como um passarinho cantando em um arbusto na frente da nossa casa e a lavanda lilás da vizinha nascer no canteiro de flores de seu jardim. Quando caminhei em volta da garagem para o lado esquerdo da minha casa, regozijei-me ao ver os galhos amarelos esverdeados de várias tulipas brotando em um bonito vaso verde que achava que estava vazio. E o Senhor plantou essa passagem de Isaías em minha mente:

Não tema, pois eu o resgatei; eu o chamei pelo nome; você é meu. [...] Não tenha medo, pois eu estou com você, do oriente trarei seus filhos e do ocidente ajuntarei você. Direi ao norte: "Entregue-os!" e ao sul: "Não os retenha." De longe tragam os meus filhos, e dos confins da terra as minhas filhas. [...] Esqueçam o que se foi; não vivam no passado. Vejam, estou fazendo uma coisa nova! Ela já está surgindo! Vocês não a reconhecem? Até no deserto vou abrir um caminho e riachos no ermo" (Isaías 43:1,5-6,18-19).

Por que não fazer uma caminhada de oração hoje? Reivindique a vitória pelos seus filhos, orando para que Deus derrube os muros construídos pelo inimigo. Peça ao Senhor para ajudá-la a cultivar atributos, atitudes e comportamentos positivos na vida deles. Reflita sobre os "objetivos de vida que glorificam a Deus"[12] e os quais quer para você mesma e para os seus filhos. Eis alguns princípios excelentes pelos quais orar durante suas caminhadas de Jericó:

- Ore para os seus filhos revelarem o fruto nônuplo do Espírito ("amor, alegria, paz, paciência, amabilidade, bondade, fidelidade, mansidão e domínio próprio" [Gálatas 5:22-23]).
- Ore para os seus filhos desenvolverem um relacionamento salvífico com Cristo quando você ora sobre as sete declarações "EU SOU" feitas por Jesus ("Eu sou o pão da vida"; "Eu sou a luz do mundo"; "Eu sou a porta das ovelhas"; "Eu sou a porta"; "Eu sou o bom pastor"; "Eu sou a ressurreição e a vida"; "Eu sou o caminho, a verdade e a vida"; "Eu sou a videira verdadeira") (João 6:35; 8:12; 10:7,9,11; 11:25; 14:6; 15:1).
- Ore para os seus filhos levarem uma vida piedosa, de autocontrole, e não praticarem nenhuma das seguintes "obras da carne": imoralidade, impureza, libertinagem, idolatria, feitiçaria, ódio, discórdia, ciúmes, ira, egoísmo, dissensões, facções, inveja, embriaguez e orgias (Gálatas 5:19-21).
- Ore para os seus filhos permanecerem e meditarem sobre: "tudo o que for verdadeiro, tudo o que for nobre, tudo o que for correto, tudo o que for puro, tudo o que for amável, tudo o que for

[12] BATTERSON, *The Circle Maker.*

de boa fama, se houver algo de excelente ou digno de louvor" (Filipenses 4:8).

- Ore para os seus filhos seguirem os Dez Mandamentos (Êxodo 20).
- Ore para os seus filhos demonstrarem as atitudes piedosas das bem-aventuranças (Mateus 5:3-12).

O Senhor usa a oração para criar um rio em seu deserto e substituir seu manto de desespero por um belo manto de louvor (Isaías 43:19; 61:3).

Oração de hoje

Querido Senhor, ensina-me a tomar posse do seu trono com fé. Ensina-me a ficar no vão pelos meus filhos da mesma maneira como Jesus ficou por mim quando meu pecado me separou do Senhor, Pai. Estou visualizando um baú de bênçãos que o Senhor preparou para cada um dos meus filhos [diga os nomes deles aqui]. Deus, oro para que o Senhor derrame o seu espírito de bênção e de provisão sobre eles. Satisfaça todas as necessidades deles de acordo com sua santa vontade. Guie-os pelos caminhos da sua justiça e nunca permita que eles tropecem.

Senhor, dê-me sabedoria à medida que faço caminhadas de oração com o Senhor. Derrube os muros da minha cidade de Jericó e nunca deixe que sejam reconstruídos. Dê-me a fé para tomar a cidade, sabendo que o Senhor já venceu a batalha. Senhor, reivindico hoje sua vitória sobre a minha Jericó [um importante problema que esteja enfrentando ou um objetivo positivo para a sua vida]. Agradeço ao Senhor de antemão por derrubar os muros que impedem esse objetivo. Destrua as barreiras e me ajude a sustentar uma reivindicação no futuro piedoso dos meus filhos.

Peço-lhe que derrame hoje bênçãos sobre eles [enumere algumas áreas em que eles estejam enfrentando desafios e obstáculos]. Amarro o poder de Satanás na vida deles. Senhor, abençoe-os com a sua misericórdia e graça. Torne-me um exemplo de vida piedosa. Transforme-me em uma encorajadora, Senhor. Ajude-me a orar diariamente para que a sua Palavra, os seus atributos e as atitudes piedosas sejam implantadas, desenvolvidas e amadurecidas nos meus filhos. No santo nome de Jesus, amém.

A espada do Espírito

"Vistam toda a armadura de Deus, para poderem ficar firmes contra as ciladas do diabo" (Efésios 6:11).

"Pois há um só Deus e um só mediador entre Deus e os homens: o homem Cristo Jesus, o qual se entregou a si mesmo como resgate por todos" (1Timóteo 2:5-6).

"Meus filhinhos, escrevo-lhes estas coisas para que vocês não pequem. Se, porém, alguém pecar, temos um intercessor junto ao Pai, Jesus Cristo, o Justo" (1João 2:1).

"Por isso não desanimamos. Embora exteriormente estejamos a desgastar-nos, interiormente estamos sendo renovados dia após dia, pois os nossos sofrimentos leves e momentâneos estão produzindo para nós uma glória eterna que pesa mais do que todos eles. Assim, fixamos os olhos, não naquilo que se vê, mas no que não se vê, pois o que se vê é transitório, mas o que não se vê é eterno" (2Coríntios 4:16-18).

Perguntas para a discussão em um pequeno grupo

1. Em que áreas você sente que o Senhor a guia a ficar no vão pelos seus filhos? Por que sente que os seus filhos são vulneráveis nessas áreas? Para você, o que significa ficar no vão por eles?
2. Que atitudes e atos prejudiciais Deus pode orientá-la a sacrificar no altar hoje? Como acha que a sua vida mudará quando você começar a caminhar em vitória nessas áreas?
3. Qual seu maior objetivo e sonho para os seus filhos? Eleve-os ao Senhor agora.
4. Como acha que a atitude de Carol Kent em relação ao filho mudou quando teve de abrir mão dos seus sonhos para o futuro dele e entregá-los ao Senhor?
5. Planeje embarcar em uma caminhada de oração na próxima semana. Durante seu tempo pessoal de oração nos próximos dias, escreva como as suas caminhadas de oração tomam forma. Quando e onde caminhará? Com uma amiga ou sozinha? Escreva quaisquer atitudes, necessidades de oração, sonhos, esperanças, planos, problemas ou outra coisa de queira tratar com Deus durante esse tempo. Quando voltar de sua caminhada, registre como Deus falou com você e ministrou para o seu coração enquanto você caminhava. Continue a fazer caminhadas de oração sempre que possível. Compartilhe o resultado com seu marido e seus filhos.

Capítulo 4

Satisfaça as condições para ter a oração respondida

A oração é a fraqueza se curvando à onipotência.

W.S. Bowd[13]

DEUS *SEMPRE* RESPONDE ÀS ORAÇÕES. Sempre.

Ele diz: "sim", "não" ou "espere".

Talvez ele nem sempre responda às nossas orações da maneira que gostaríamos. E talvez ele nem sempre nos dê o que pedimos.

Você não está contente?

Muitas vezes, quando pedi algo a Deus, suspirei de alívio quando ele disse não. Vivenciei, no entanto, outras ocasiões em que buscava desesperadamente um sim dele, mas minhas orações pareciam não terem sido escutadas. E tive de fazer um exame no meu coração para ver se estava pedindo com o coração puro, pelos motivos certos e de acordo com a vontade do Senhor.

É interessante observar que diversos princípios da Bíblia indicam que é mais provável que o nosso Pai celestial honre determinadas orações (tanto o pedido quanto os indivíduos que os fazem) com um "sim" do que outras. Como queremos ser Mães Guerreiras de Oração que vivem em constante comunhão com o nosso Senhor, façamos juntas um exame do nosso coração e nos perguntemos se satisfazemos essas condições.

---

[13] http://www.christian-prayer-quotes.christian-attorney.net.

Conforme lê a lista, peça ao Espírito Santo para indicá-la qualquer condição que possa causar uma fissura na sua vida de oração. No fim do capítulo, a guiarei em uma oração que a ajudará a confessar e a liberar qualquer atitude prejudicial ou motivo impuro para que possa ver, ouvir e discernir claramente a vontade de Deus para você e para seus filhos.

O mais importante é ter em mente que Deus é o Deus da graça. Ele não espera que sejamos perfeitas nem que ajamos antes de ele responder às nossas orações. O Senhor, em sua misericórdia, honra as orações de pecadoras arrependidas; do contrário, nenhuma de nós poderia ter um relacionamento com ele.

Esses princípios alimentam o nosso pensamento e nos convencem dos nossos pecados se o Espírito Santo nos liderar. Espero que eles a inspirem a eliminar qualquer coisa na sua vida que possa bloquear o seu diálogo íntimo com o Pai na oração.

Minha esperança é que você, ao começar a implementar as orações e os princípios deste livro, já tenha visto um progresso impressionante e experimentado avanços notáveis em sua vida de oração. Espero que colha bênçãos abundantes, como resultado de envolver cada um dos seus filhos com a oração. Fico *espantada* com o progresso espiritual, físico, emocional e intelectual que Deus efetuou na vida dos meus filhos quando oro por eles usando os princípios, as passagens bíblicas e as orações deste livro. A minha filha desabrochou em uma bela jovem, e o meu filho desenvolveu um espírito meigo e atencioso.

Alguma de vocês tem um testemunho como esse? Se esse for o caso, regozijo-me com você.

Agora quero capacitá-la a derrubar qualquer barreira restante que possa impedir você e os seus filhos de experimentar o melhor de Deus todos os dias. Alinhemos a nossa vida com as condições que Deus esboça para nós nas Escrituras para termos as orações respondidas. Eis aqui as "dez principais".

1. Aproxime-se de Deus com uma atitude de humilde submissão

Tiago 4:7 nos lembra de que temos de nos "submeter a Deus". E essa atitude deve ocorrer em relação a *tudo*. Tiago ligou nossa humildade diante do Pai à escolha de Deus de realizar obras poderosas e milagres na nossa vida por meio da oração (Tiago 4:3-6-10). A Bíblia também diz que Jesus "ofereceu orações e súplicas [...] àquele que o podia salvar da morte, sendo ouvido por causa da sua reverente submissão" (Hebreu 5:7).

Deus ama responder às orações de mães devotadas. Acredito que ele tem muita consideração por Mães Guerreiras de Oração que se ajoelham diante de seu trono e dizem: "Seja feita a sua vontade", com uma atitude de humildade e submissão. Somos mais poderosas quando estamos ajoelhadas. É na oração que está a verdadeira ação!

2. Vá a Deus com motivos puros

Tiago 4:2-3 afirma: "Vocês cobiçam coisas, e não as têm; matam e invejam, mas não conseguem obter o que desejam. Vocês vivem a lutar e a fazer guerras. Não têm, porque não pedem. Quando pedem, não recebem, pois pedem por motivos errados, para gastar em seus prazeres."

Quando orar por seus filhos hoje, peça a Deus para revelar quaisquer motivos impuros que possam bloquear as suas orações. Além disso, considere os tipos de bênçãos pelas quais tende a orar. Elas são principalmente materiais ou são basicamente espirituais? Pense no motivo pelo qual ora por determinadas bênçãos. É porque sente realmente que são a vontade de Deus para os seus filhos ou está apenas pedindo a Deus para fazer o que *você* quer para eles? O seu foco está nas bênçãos materiais, em posição e realização terrenas e coisas que indicam o sucesso mundano, ou está preocupada que os seus filhos busquem o coração de Deus e os valores do seu Reino?

3. Não peça nada que contradiga a Palavra de Deus

Quando orar para si mesma e para os seus filhos, guarde-se de pedir por algo que se oponha ou que entre em conflito com os princípios de Deus, conforme ensinado nas Escrituras.

Por exemplo, se o seu filho solteiro fala com você sobre ir morar com a namorada antes de se casar, você precisa orar para perguntar a Deus se essa é a vontade dele? É claro que não. Tenha cuidado para não borrar as linhas do que Deus denomina bom e agradável (Romanos 12:2). Você é a guardiã dos seus filhos; suas orações e a sua sabedoria ajudam a impedir que eles tomem decisões que não sejam o melhor de Deus para eles. Em casos em que a "coisa certa" não está clara, passe tempo em oração com os seus filhos antes de ajudá-los a fazer uma escolha piedosa. Quando o próximo passo não está claro, ore e espere!

4. Tenha fé sem duvidar

Tiago 1:6 diz que temos de pedir, "porém, com fé, sem duvidar, pois aquele que duvida é semelhante à onda do mar, levada e agitada pelo vento". Claro que o Senhor sabe que somos frágeis; às vezes nosso sofrimento nos faz duvidar do seu amor ou do seu desejo de responder a determinada oração. Nesse caso, ore para Deus aumentar a sua fé e acabar com a sua dúvida. Às vezes você precisa clamar: "Senhor, eu creio, ajuda-me a vencer a minha incredulidade", como o homem de Marcos 9:24 que levou o filho que estava sofrendo até Jesus. Este, derramando sua extraordinária compaixão, curou-o. Ele fará o mesmo por você quando lhe levar as suas dúvidas e os seus medos. Conte-lhe todas as suas mágoas e também as suas aspirações, as suas esperanças e os seus sonhos referentes aos seus filhos e depois deixe *tudo* no altar. Ele substituirá a sua dúvida e os seus fardos por um espírito de fé inabalável.

Você já notou o contraste entre ser "preocupada" e ser uma "guerreira"? Ouvi dizer que a preocupação é como uma cadeira de balanço — ela lhe dá algo para fazer, mas não a leva a lugar algum. Um autor comentou que não há nada que possamos fazer em relação a 70% de nossas preocupações:

COM O QUE NOS PREOCUPAMOS

40% com coisas que nunca acontecem.
30% com o passado — que não pode ser mudado.
12% com críticas feitas pelos outros, em sua maioria inverdades.
10% com a saúde, que piora com o estresse da preocupação.
8% com problemas reais que podem ser resolvidos.[14]

Deixe Deus carregar as suas dúvidas. Ele a levará hoje mesmo da condição de "preocupada" para a de "guerreira"!

---

[14] WEAVER, Joanna. *Having a Mary Heart in a Martha World*. Colorado Springs: WaterBrook Press, 2000, p. 17.

5. Seja decidida

Ore para Deus fazer de você uma mulher decidida. A epístola de Tiago diz o seguinte da pessoa que duvida de Deus: "Não pense tal homem que receberá coisa alguma do Senhor; é alguém que tem mente dividida e é instável em tudo o que faz" (Tiago 1:7-8). Mais adiante, Tiago escreve: "Vocês, que têm a mente dividida, purifiquem o coração" (Tiago 4:8).

O que significa ser decidida? Isso exige que saibamos quem Deus é, quem somos e que descansemos na provisão dele. Significa que a nossa mente está clara e que as nossas prioridades estão em ordem: que exaltamos a Deus, ao nosso marido e aos nossos filhos antes da casa, do trabalho, da igreja, do ministério e das responsabilidades externas. E isso significa que entregamos todas as nossas preocupações para o Senhor no momento em que ouvimos aquela vozinha de dúvida atravessando a nossa mente (veja 1Pedro 5:7).

Amo a história de uma viúva decidida das Escrituras. Jesus contou a seguinte parábola:

> Então Jesus contou aos seus discípulos uma parábola, para mostrar-lhes que eles deviam orar sempre e nunca desanimar. Ele disse: "Em certa cidade havia um juiz que não temia a Deus nem se importava com os homens. E havia naquela cidade uma viúva que se dirigia continuamente a ele, suplicando-lhe: 'Faze-me justiça contra o meu adversário.' Por algum tempo ele se recusou. Mas finalmente disse a si mesmo: 'Embora eu não tema a Deus e nem me importe com os homens, esta viúva está me aborrecendo; vou fazer-lhe justiça para que ela não venha mais me importunar.'" (Lucas 18:1-5).

Essa viúva decidida e persistente recebeu a sua resposta do juiz, e ele representa o nosso Pai celestial. Jesus indicou que ela foi recompensada por ter orado repetidamente e não ter desanimado. Esse é o tipo de mulher que quero ser! E quanto a você?

6. Ore para que a vontade de Deus seja feita

1João 5:14 declara: "Esta é a confiança que temos ao nos aproximarmos de Deus: se pedirmos alguma coisa de acordo com a sua vontade, ele nos ouve." Podemos orar repetidas vezes pelos nossos filhos para receber determinada bênção, mas nada acontecerá a menos que oremos para que a vontade de Deus seja feita naquela situação.

Um autor escreveu: "Quando vamos a Deus, temos de dizer: 'Seja feita a sua vontade.' E essas palavras significam: 'Se a sua vontade e a minha não estiverem de acordo, então renuncio para que a sua seja feita.'"[15]

Muitas vezes me descubro humilde uma vez que finalmente tenha começado a orar: "Deus, por favor, permita que a sua vontade seja feita." Às vezes tenho tanta certeza sobre o que acho que Deus fará que só oro para obter esse resultado. Isso aconteceu uma vez, quando meu marido procurava emprego. Ele teve pelo menos cinco entrevistas em uma firma de consultoria top de linha, e ficamos orando para que ele conseguisse o cargo. No entanto, nós dois estávamos preocupados com o impacto prejudicial que a viagem exigida teria sobre a nossa família, em especial sobre os nossos dois filhos pequenos.

Finalmente, certo dia, ouvi a voz do Espírito Santo dizendo: "Ore para que a *minha vontade* seja feita." Só estivera orando para que a minha própria vontade fosse feita. Assim, entreguei tudo para Deus e finalmente orei: "Senhor, se é a sua vontade, abra, por favor, a porta para David conseguir esse emprego. Se não for a sua vontade, por favor, feche a porta para que possamos ter paz quanto à decisão."

No dia seguinte, ele recebeu um telefonema do vice-presidente da empresa dizendo que não tinha conseguido o emprego. E o Senhor revelou um plano melhor para a nossa família. Teríamos poupado muita aflição se desde o início tivéssemos orado pela vontade dele.

7. Vá com ousadia e confiança ao trono do Senhor

Hebreus 4:16 afirma: "Assim sendo, aproximemo-nos do trono da graça com toda a confiança, a fim de recebermos misericórdia e encontrarmos graça que nos ajude no momento da necessidade." E João escreveu: "Amados, se o nosso coração não nos condenar, temos confiança diante de Deus" (1João 3:21).

O pecado, a raiva e uma raiz de amargura podem nos afastar do trono de Deus com total confiança. Se você tem um sentimento de peso, opressão ou alienação no seu espírito, não consegue ir ao trono

[15] PRINCE, Derek. *Secrets of a Prayer Warrior.* Grand Rapids: Baker Publishing Group, 2009, p. 27.

da graça "com toda a confiança". Nesse caso, o pecado e o sofrimento emocional ergueram uma parede entre você e Deus. Quando usa a oração, o jejum e as Escrituras para remover os tijolos dessa parede de emoções negativas, você adquire uma sensação de mais paz e de mais ligação com o Senhor.

8. Ore sempre para o Pai em nome de Jesus Cristo por meio do poder do Espírito Santo

O nome de Jesus é a palavra mais poderosa que podemos falar. Deus deu-a divinamente a nós para a destruição das fortalezas (2Coríntios 10:4). O sentido literal do nome "Jesus" é "Javé salva". Ele está diretamente ligado à nossa salvação: reflete o sangue que Jesus derramou na cruz para nos salvar dos nossos pecados e a ressurreição, que nos dá esperança e vida eterna.

A ressurreição de Jesus Cristo o separa de todos os outros líderes espirituais da história. Por Jesus estar coroado, vitorioso e sentado à direita de Deus nos reinos celestiais, o seu nome tem tanto o poder supremo quanto a autoridade final no céu e na terra. Ele é o nosso mediador diante do Pai e o seu sangue "fala" literalmente nos reinos celestiais (Hebreus 12:24). Ore sempre em nome de Jesus.

9. Confesse seu pecado e se arrependa dele

Você já sentiu como se as suas orações parassem no teto? Eu já. Na época, sabia que o meu pecado não confessado e as minhas atitudes impróprias estavam me impedindo de ter a comunhão apropriada com o Pai.

De acordo com 1Pedro 3:7, as orações dos maridos podem ser bloqueadas se eles não tratarem a esposa com consideração, respeito e ternura. É possível então que as nossas orações, como esposas, também possam ser bloqueadas se não oferecermos amor e respeito apropriados ao nosso marido? A Bíblia diz: "Portanto, cada um de vocês também ame a sua mulher como a si mesmo, e *a mulher trate o marido com todo o respeito*" (Efésios 5:33; grifo da autora).

Acredite: sei que o respeito pelo marido pode ser difícil, sobretudo quando não concordamos com o que ele diz ou faz. O maior desafio é tentar amar e respeitar marido e filhos que não nos fazem sentir amadas e respeitadas. Contudo, Deus nos chama a dar o primeiro passo.

Ele nos lembra de que temos de respeitar e honrar marido e filhos *independentemente de qualquer coisa, para o melhor ou para o pior, na doença e na saúde até que a morte nos separe*. Talvez você precise confessar e se arrepender se tem abrigado um espírito amargurado e rancoroso em relação a algum membro da sua família.

Se possível, a partir desta noite, faça da oração um novo hábito junto com o seu marido e/ou os seus filhos antes de dormir. Esse tempo de conexão lhe dará a oportunidade para discutir alguma questão desafiadora que surgiu ao longo do dia. Também a impede de deixar "que o sol se ponha" sem apaziguar a sua raiva (Efésios 4:26).

10. Perdoe os outros

Se quisermos que Deus ouça as nossas orações e perdoe o nosso próprio pecado, temos de oferecer o dom do perdão aos outros. Na verdade, perdoar é tão fundamental para a eficácia das nossas orações que Jesus enfatizou isso no Pai Nosso. Ele disse aos discípulos: "Perdoa as nossas dívidas, assim como perdoamos aos nossos devedores. [...] Pois se perdoarem as ofensas uns dos outros, o Pai celestial também lhes perdoará" (Mateus 6:12,14).

Se você luta com o não perdoar, não está sozinha nisso. Também acho isso desafiador às vezes. Sou uma pessoa muito sensível e quando alguém erra comigo resisto a deixar essa pessoa voltar ao meu círculo de confiança. Quando alguém não parece confiável ou se acredito que ela é capaz de me ferir, em geral excluo essa pessoa do meu círculo de confiança. Tenho de me lembrar de que Deus quer que eu perdoe os outros, como Jesus me perdoou. Independentemente do que eu faça ou de quantas vezes falhe com ele, ele sempre me acolhe de volta em seu círculo de amor e confiança.

Perdoar não significa esquecer. Não significa impedir uma pessoa de experimentar as consequências das suas palavras ou dos seus atos pecaminosos. E não significa que o nosso relacionamento com essa pessoa volta ao que era antes. Mas significa que escolhemos seguir em frente e não ficar em uma prisão de amargura construída por nós mesmas.

Ao examinar de novo essas dez condições para ter a oração respondida, o fio do "confiar em Deus" passa por todas elas. Isaías 26:3

diz: "Tu guardarás em perfeita paz aquele cujo propósito está firme, porque em ti confia."

Ser uma Mãe Guerreira de Oração significa que entregamos o controle ao nosso Pai soberano e confiamos nele em todos os aspectos da vida e do bem-estar dos nossos filhos. Isso representa lhe entregar o futuro deles, mesmo que os nossos sonhos para eles não se tornem realidade enquanto vivemos. Se você está aflita por seu filho pródigo, será que consegue orar todos os dias da sua vida com fé para que ele volte para Deus mesmo se isso não acontecer durante os seus dias na terra?

Todas as vezes que uma mãe ou um pai em pânico abordou Jesus, implorando-lhe para curar um filho ou filha, como Jesus respondeu? Sempre com compaixão e graça. Com palavras de bondade e conforto. Às vezes, até mesmo com lágrimas. O coração do Pai é um manancial de amor da aliança e ternura misericordiosa. Deus anseia por honrar as suas orações pelos seus filhos, Mãe Guerreira de Oração!

Se você luta para manter a fé quando o seu filho pródigo se afasta de Deus, por favor, sinta-se encorajada pelo fato de que as suas orações nunca morrem nem voltam vazias. Elas continuam a viver e a criar resultados na terra mesmo depois de você e eu termos ido ao encontro do Senhor. Acredito que Deus salvará o seu filho ou a sua filha e que você verá isso, mesmo que do ponto de vista perfeito no céu. Entretanto, oro para que o Senhor banhe a sua alma com a paz perfeita dele.

Oração de hoje

Querido Senhor, obrigada por sempre responder às orações. Dê-me a visão e a sabedoria para aceitar a sua resposta, independentemente de qual ela seja. Ajude-me a confiar que o Senhor tem o melhor interesse pelos meus filhos no coração, mesmo quando não consigo ver o resultado final. Quando não consigo ver a sua mão, ajude-me a confiar no seu coração. Dê-me um espírito de humildade e submissão. Edifique a fé confiante em mim, Senhor. Ensina-me a vir com ousadia diante do seu trono, sem um pingo de dúvida. Torne-me um exemplo do tipo de fé que floresce como uma semente de mostarda. Ajude-me a instilar essa fé que move montanhas também nos meus filhos, Senhor.

Por favor, transforme-me em uma mulher decidida, que mantém o curso e a fé. Oro para que a sua vontade sempre seja feita em minha vida e na dos meus filhos. Sou agradecida por poder orar ao Senhor no nome todo-poderoso e vitorioso de Jesus Cristo. Reivindico a salvação para mim mesma e para os meus filhos em nome de Jesus.

Dê-me um espírito de perdão e graça quando interajo com os outros, Senhor. Concede-me paciência para com os meus filhos, semelhante à do Senhor para comigo. Amarre qualquer espírito de raiva, de não perdão e de amargura e o impeça de interferir no meu relacionamento com o meu marido e com os meus filhos. Derrame a sua paz perfeita e a sua bênção sobre mim, sobre o meu marido, sobre os meus filhos e sobre a nossa casa. Em nome de Jesus, amém.

A espada do Espírito

"Você não vai chorar mais. Como ele será bondoso quando você clamar por socorro!

Assim que ele ouvir, lhe responderá" (Isaías 30:19).

"E eu farei o que vocês pedirem em meu nome, para que o Pai seja glorificado no Filho" (João 14:13).

"E recebemos dele tudo o que pedimos, porque obedecemos aos seus mandamentos e fazemos o que lhe agrada" (1João 3:22).

Perguntas para a discussão em um pequeno grupo

1. Você acredita que Deus sempre responde às orações? Dê exemplos das vezes que ele lhe respondeu com "sim", "não" e "espere". O que aprendeu em cada uma delas? Quando ele disse "não", não foi uma bênção disfarçada?
2. Há determinadas situações pelas quais você ora por seus filhos há semanas, meses ou até mesmo anos? Se esse for o caso, quais são elas? Por que acha que o Senhor está esperando para responder essas orações?
3. Que lições aprendemos sobre Deus, sobre nós mesmas e sobre os nossos filhos quando temos de esperar pela resposta do Senhor para as nossas orações? Como mudamos?
4. Como a sua situação pode mudar se tiver de orar: "Deus, que a sua vontade seja feita nessa circunstância"?
5. Agora que apreendeu com as dez condições para a oração ser respondida, em quais das dez áreas sente que precisa fazer algumas mudanças? Sente que o Espírito Santo a convence de alguma atitude pecaminosa de coração? Se esse for o caso, confesse-a agora, em oração para ele ou para uma amiga de seu grupo de Mãe Guerreira de Oração.

Capítulo 5

Ore com poder e autoridade

Nós e o mundo, meus filhos, sempre estaremos em guerra.
Fugir é impossível.
Arme-se.

Leif Enger[16]

CERTA VEZ, ARQUIMEDES DISSE: "Dê-me uma alavanca longa o suficiente e um apoio, e moverei a terra." A oração é a "alavanca" que pressionamos sobre a terra para liberar o poder de Deus do céu. A oração é o catalisador que faz Deus entrar no reino terreno e agir de formas tangíveis que podemos medir no tempo e espaço físicos. O resultado das nossas orações pode ser milagroso e inexplicável pela ciência ou pela razão, mas são absolutamente reais.

Deus criou o mundo natural para operar de acordo com leis naturais e ordenadas. Da mesma maneira, ele criou o mundo espiritual para operar de acordo com as suas leis espirituais, expostas na sua Palavra infalível. As nossas orações aparentemente simples, na verdade, criam uma "reação celestial" que envolve poderes espirituais em escala universal.

Como Mães Guerreiras de Oração, somos chamadas a guiar nossos filhos no combate espiritual. A Bíblia diz que nossa batalha não é contra carne e sangue, mas contra "os poderes e autoridades, contra os dominadores deste mundo de trevas, contra as forças espirituais do mal nas regiões celestiais" (Efésios 6:12). Temos, portanto, de ensinar

[16] ENGER, Leif. *Peace Like a River.* Nova York: Grove Press, 2001, p. 4.

os nossos filhos a orar e temos de armá-los para combater as forças das trevas.

A passagem citada salienta duas verdades fundamentais: (1) estamos na luta da nossa vida; e (2) nossa batalha não é contra outras pessoas, mas contra as forças satânicas. Contudo, às vezes estamos tão feridas, desapontadas e cegas pelo pecado e pelo sofrimento que parecemos lutar *contra* o nosso marido, os nossos filhos, a nossa família e os nossos amigos. Essa é uma tática de Satanás. Ele quer que achemos que os outros são nossos inimigos, e não ele. Corrie ten Boom disse certa vez: "Aquele que não reconhece o inimigo é de fato um soldado ruim."[17]

No Texas, conheci muitas mulheres lindas que nunca têm um fio de cabelo desarrumado. Uma das minhas amigas diz que elas não suam; elas "brilham". Mas, se quisermos ser reais com Deus, temos que *lutar* com ele em oração. Temos que sujar os joelhos se quisermos travar a batalha que derrota Satanás. Deus nos abençoa quando deixamos cair a fachada e lutamos, *de verdade*, até estrangularmos os poderes das trevas.

Um comentarista escreveu: "Não estamos envolvidos em uma batalha humana e física. [...] É uma luta entre dois oponentes que continua até um derrubar o outro e o subjugar. A palavra *contra* apresenta a ideia de inimigo pessoal, conflito face a face e punho a punho até o fim, uma luta de vida e morte. Paulo não está descrevendo um piquenique da Escola Dominical."[18]

A maioria dos cristãos não tem a mínima ideia da natureza séria e mortal da batalha espiritual. Também não tive durante muitos anos. Quando me matriculei no seminário e comecei o treinamento para entrar no ministério, a intensidade da minha batalha aumentou de forma relevante. Agora que sou autora e palestrante em tempo integral e tenho dois filhos, o risco espiritual aumentou de maneira exponencial.

Todos os dias sou muito abençoada pelas pessoas, mulheres em particular. A minha paixão é ajudar todas as mulheres a avançar para abençoar e experimentar a plenitude do amor, da alegria, da liberdade e da aceitação de Cristo nas suas vidas. Deus me chamou para

---

[17] BOOM, Corrie ten. in: ALVES, Elizabeth. *Becoming a Prayer Warrior.* Ventura, CA: Regal Books, 1998, p. 97.

[18] *Nelson King James Version Bible Commentary.* Nashville: Thomas Nelson, 2005, p. 1579.

ajudá-las a se esforçar menos pela perfeição e, em vez disso, encontrar paz e descanso no conforto do amor do Deus da aliança.

As pessoas de Deus não são criações impressionantes? Nas minhas viagens e no meu ministério de palestras, gosto de conhecer pessoas de todos os estilos de vida, rir e chorar com elas e ouvir as suas histórias incríveis. Deus tem me mostrado uma lição vital: tenho algo fascinante a aprender com cada pessoa. O desejo do meu coração é compartilhar palavras bíblicas de encorajamento, de bênção e de esperança com todas as pessoas que encontro. Às vezes, minhas leitoras ou ouvintes sofrem de mágoas tão profundas que a teologia não é capaz de curar; então apenas nos abraçamos e choramos juntas.

Com certeza, Satanás me induz ao erro ao me lembrar dos meus erros e dos meus fracassos, mas não permito que ele vença. Lembro-lhe que Jesus quer que todas as mulheres vivam em vitória. Digo-lhe: "Vá embora. Jesus em mim é a esperança de glória!"

Você descobrirá que os ataques de Satanás a você e à sua família aumentam à medida que a sua influência espiritual e a sua sabedoria crescem. Você e eu temos de ficar ajoelhadas a fim de permanecer no jogo! No entanto, quero lhe assegurar de que não há nada a temer. Lembre-se de que "Deus não nos deu espírito de covardia" (2Timóteo 1:7). Algumas de nós acreditam, de maneira errônea, que estamos na defensiva, tentando debilmente nos defender dos esquemas de Satanás. Na verdade, estamos comandando o ataque. Estamos na ofensiva. Saia da trincheira e vá para a linha de frente, Mãe Guerreira de Oração! Vista a armadura plena de Deus, equipada para a batalha.

Para travar uma guerra em grande escala contra Satanás, precisamos orar tanto com o *poder* quanto com a *autoridade* garantida a nós por Deus. Leia mais uma vez a declaração de Arquimedes; a alavanca é o poder de Deus, e o apoio, nosso Salvador Jesus Cristo, em cujo santo nome temos autoridade espiritual.

Usamos com frequência os termos *poder* e *autoridade* como sinônimos, mas eles não são exatamente a mesma coisa. O poder é físico e relacional; a autoridade é legal e posicional. Um autor escreveu: "A palavra grega traduzida por 'autoridade' é *exousia*, e o seu sentido básico é 'ter o direito de governar ou dominar como alguém a cuja vontade e ordens deve-se acatar.'" Em contrapartida, a palavra grega traduzida por "poder" é *dunamis*, cujo sentido é "ter a força inerente ou verdadeira capacidade de realizar um propósito desejado".[19] Só porque uma pessoa tem o direito de realizar um determinado ato, isso não significa necessariamente que ela tem o poder para realizá-lo.

Trabalhei uma vez em Dallas com uma jovem policial chamada Rachel, adorável e delicada. À primeira vista, ela podia não impressionar como uma pessoa "poderosa", mas, quando vinha até você, ostentando seu uniforme, você definitivamente respeitava a autoridade dela. A autoridade para preservar a lei foi garantida a ela por uma autoridade ainda mais alta: a Constituição dos Estados Unidos da América.

Digamos que a minha amiga Rachel está uniformizada, guiando o tráfego em um cruzamento movimentado, quando um caminhão se aproxima. Se ela sinalizar para o motorista do caminhão parar, ele vai parar? É provável que sim. (Espero que sim, pelo bem dele!) Fisicamente, Rachel pode não ser mais *poderosa* que o caminhão ou que o seu motorista, mas ela tem *autoridade* sobre ambos.

Jesus, por sua vez, tem *tanto* o poder quanto a autoridade supremos sobre todas as coisas do céu e da terra. Isso o capacita a, dentre outras coisas:

- Perdoar os pecados (Mateus 9:6).
- Curar a doença, a cegueira, a paralisia e outras doenças físicas (Mateus 9:35).
- Expulsar os demônios (Mateus 8:28-34).
- Sentar-se à direita de Deus Pai (Mateus 26:64).
- Ressuscitar os mortos (João 11).
- Caminhar sobre as águas e governar o mundo natural (Mateus 14:25; Marcos 4:39).
- Destruir todos os esquemas do inimigo (Lucas 10:19).
- Entregar a sua vida e tomá-la de novo (João 10:18).
- Fazer o bem e curar todos os que são oprimidos pelo demônio (Atos 10:38).
- Abrir os olhos das pessoas e voltá-las do poder de Satanás para Deus (Atos 26:18).
- Ressuscitar dos mortos (Mateus 28:6).

[19] JORDAN, Jonathan. "Spiritual Power and Spiritual Authority". *Thinking in Color.* Disponível em: http://jonathanjordan.squarespace.com/studies-in-the-word/2007/6/23/spiritual--power-and-spiritual-authority.html.

- Dar-nos esperança (2Tessalonicenses 2:16).
- Comprar a nossa salvação (2Timóteo 2:10).

Um autor escreveu: "Há duas coisas necessárias para a oração eficaz: autoridade e poder. Para termos autoridade, temos de confiar que cumprimos todas as exigências legais. [...] Orar em nome de Jesus põe o selo de sua autoridade nas nossas orações."[20]

Jesus disse: "O que vocês pedirem em meu nome, eu farei" (João 14:14). Use sempre o poderoso nome de Jesus para "pôr o selo" dele nas nossas orações pelos nossos filhos. Seu santo nome é apenas uma das sete poderosas armas de combate que temos à nossa disposição. Eis o nosso arsenal de armas espirituais. Denomino-o de nossa "torre de poder":

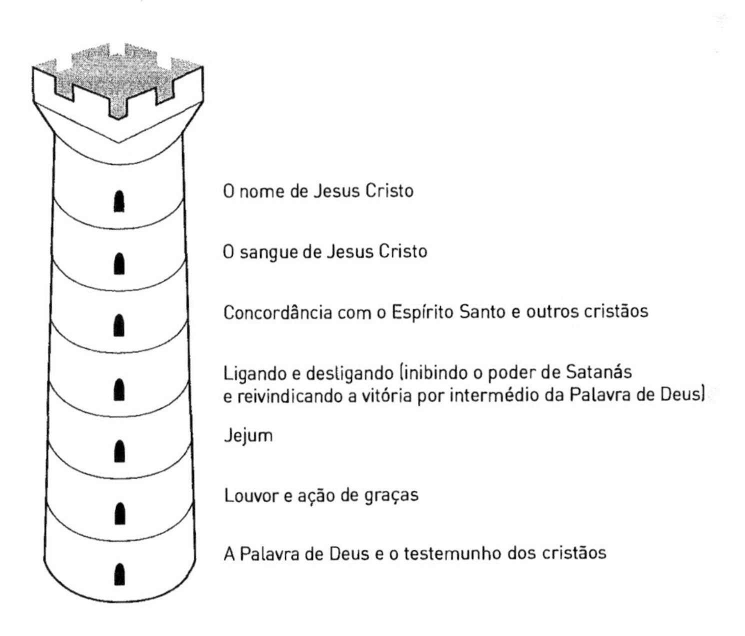

Essas armas espirituais operam em contraste com as armas carnais mencionadas nas Escrituras, que são a mente (o raciocínio humano),

[20] PRINCE, Derek. *War in Heaven*: God's Epic Battle with Evil. Google e-book ed. Grand Rapids: Baker Publishing Group, 2003.

a alma (o desejo humano), a vontade do homem, a manipulação, o engano e o controle.[21]

Quando usa a sua "torre de poder", você conecta o poder e a autoridade de Deus às necessidades dos seus filhos na terra, abrindo as portas da bênção para vocês. Essas armas também interrompem a maldição do pecado (tanto pessoal quanto geracional) tanto na sua vida quanto na dos seus filhos.

Lembre-se que, independentemente de quão feroz seja a batalha, Satanás é inferior em poder e em número. Quando ele caiu, só um terço dos anjos caiu com ele (Apocalipse 12:4). Isso significa que você e eu temos Deus e dois terços dos santos anjos do nosso lado! Lembrem os seus filhos desse fato sempre que se sentirem desencorajados.

Quando orar contra os poderes das trevas, certifique-se de orar por coisas específicas. O autor Mark Batterson escreveu: "O pastor de uma das maiores igrejas em Seul, na Coreia, escreveu: 'Deus não responde a orações vagas.' Quando li essa declaração fiquei imediatamente convencido do quanto as minhas orações eram vagas. Na verdade, algumas delas eram tão vagas que não tinha como saber se Deus as tinha respondido ou não."[22]

Quando estamos em um combate espiritual, temos de orar de forma específica e orar recitando as Escrituras pelos nossos filhos. Eis uma excelente amostra de oração:

> Senhor, reivindico vitória para os meus filhos em nome de Jesus, ao qual todos devem se ajoelhar. Reivindico salvação para eles por meio do sangue de Jesus Cristo. Pela autoridade de Jesus, amarro Satanás e interrompo todo e qualquer poder dele sobre os meus filhos. Livro meus filhos do controle de Satanás. Mantenha-os em território sagrado. Destruo, em concordância com o seu Espírito, todas as fortalezas de pecado e todas as obras do inimigo na vida dos meus filhos. Peço que o Senhor realize obras poderosas na vida deles. Dê-lhes um futuro glorioso e uma esperança poderosa que nunca serão destruídos. Em nome de Jesus, amém.

---

[21] Para um diagrama semelhante, veja ALVES, Elizabeth. *Becoming a Prayer Warrior*, p. 126.

[22] BATTERSON, *The Circle Maker*, p. 25.

Pense em cada um dos seus filhos e nas dificuldades que eles enfrentam hoje. Qual a batalha de cada um deles? Como eles estão crescendo? Como acha que Satanás procura tentá-los, desencorajá-los e desviá-los? Escreva o nome de cada filho no seu diário de oração junto com a principal luta de cada um deles. Ore pelos seus filhos todos os dias.

Recentemente, ao escrever a palavra *autoridade* em meu diário, percebi algo novo: ela começa com a palavra *autor*. Hebreus 12:1-2 afirma:

> Portanto, também nós, uma vez que estamos rodeados por tão grande nuvem de testemunhas, livremo-nos de tudo o que nos atrapalha e do pecado que nos envolve e corramos com perseverança a corrida que nos é proposta, *tendo os olhos fitos em Jesus, autor e consumador da nossa fé*. Ele, pela alegria que lhe fora proposta, suportou a cruz, desprezando a vergonha, e assentou-se à direita do trono de Deus [grifo da autora].

Correr bem exige que deixemos de lado o peso, a mágoa, a depressão, a ansiedade e o pecado que carregamos. Jesus tem o poder de ordenar a calma em nosso caos e criar um desígnio piedoso a partir da nossa desordem. Ele pode nos ajudar a pôr a nossa vida pessoal, o nosso casamento, a nossa casa e a vida dos nossos filhos em ordem.

A sua casa é um lugar de beleza, ordem e deleite? O relacionamento com os seus filhos se caracteriza pelo amor, pela alegria, pela paciência, pela paz e pela criatividade? Você dá ao seu marido o melhor que tem a oferecer ou ele recebe as sobras no fim do dia? Muitas de nós não vivem de forma vitoriosa nessas áreas. Deixamos Satanás ter um posto avançado na nossa vida. Uma boa amiga minha costuma dizer: "Posto avançado, posição segura, fortaleza, controle total!"

Quando vivemos no poder e na autoridade de Jesus, não somos esposas relaxadas e "pais desejosos". "Pai desejoso" é alguém que simplesmente *deseja* que os filhos se comportem melhor. Maureen Healy escreveu: "Esses pais têm as melhores intenções, mas não fazem as coisas necessárias, como aplicar uma forte disciplina."[23]

Não quero ser uma mãe desejosa, quer na aplicação da disciplina paternal, quer na minha vida de oração. Sendo otimista e idealista por

[23] BEAN, Shawn. "Are You a Hippo Mom?" revista *Parenting*, fev. 2012, p. 11.

natureza, dediquei muito tempo da minha vida desejando coisas que nunca aconteceram. Desejar não nos leva muito longe, leva?

Exaltemos as nossas armas poderosas e passemos do reino do pensamento ilusório para o reino de fazer as coisas por intermédio do poder do Espírito Santo.

Oração de hoje

Querido Senhor, hoje reivindico a vitória espiritual para os meus filhos. O Senhor já considera isso feito de acordo com sua vontade. Obrigada por dar a mim e aos meus filhos o poder e a autoridade por meio do nome e do sangue de Jesus Cristo. Abençoe e proteja os meus filhos nas áreas da saúde, espiritualidade, escolha de amigos, estudos, escolha da carreira, escolha do cônjuge e todas as suas buscas. Em nome de Jesus amarro todos os espíritos malignos e ordeno que Satanás fique longe de meus filhos.

Senhor, ajude os meus filhos a sempre obedecer a sua Palavra e as suas ordens. Proteja-os de ferimento físico, espiritual e emocional. Proteja-os de desenvolver um espírito de medo, amargura ou insegurança. Ensine-os a discernir e buscar a sua vontade em tudo. Dê-lhes um espírito de plenitude, confiança, triunfo e fé no Senhor. Ajude-os a buscá-lo, conhecê-lo e amá-lo sempre. Oro para que eles caminhem com o Senhor todos os dias em vitória. Em nome de Jesus, amém.

A espada do Espírito

"Deus não nos deu espírito de covardia, mas de poder, de amor e de equilíbrio" (2Timóteo 1:7).

"As armas com as quais lutamos não são humanas; pelo contrário, são poderosas em Deus para destruir fortalezas. Destruímos argumentos e toda pretensão que se levanta contra o conhecimento de Deus, e levamos cativo todo pensamento, para torná-lo obediente a Cristo" (2Coríntios 10:4-5).

"Pois a nossa luta não é contra pessoas, mas contra os poderes e autoridades, contra os dominadores deste mundo de trevas, contra as forças espirituais do mal nas regiões celestiais" (Efésios 6:12).

"Mas graças a Deus, que nos dá a vitória por meio de nosso Senhor Jesus Cristo" (1Coríntios 15:57).

Perguntas para a discussão em um pequeno grupo

1. O objetivo de Satanás é distrair e desviar você e os seus filhos de realizar a vontade de Deus para a vida de vocês. Como essa verdade afeta o seu compromisso com a sua vida de oração? Como muda as suas orações pelos seus filhos?
2. Descreva a diferença entre poder espiritual e autoridade espiritual. Como você alavanca o poder e a autoridade garantidas a você por Jesus Cristo para alcançar vitória espiritual na sua vida?
3. Você já tratou o seu marido, os seus filhos, os seus sogros, os seus chefes ou outras pessoas como se a sua batalha fosse contra elas, em vez de ser contra Satanás, os demônios dele e os principados das trevas? Como isso a ajuda saber que a sua batalha não é contra a carne e o sangue, mas contra as forças espirituais da perversidade?
4. Pegue o seu diário de oração e defina os seus objetivos pessoais de vida e também os seus objetivos e os seus sonhos para cada um dos seus filhos para o próximo ano. Enumere os passos necessários para cada um de vocês alcançar esses objetivos. Como pode encorajar os seus filhos a buscar as suas paixões por intermédio do poder e da autoridade de Jesus Cristo?

Capítulo 6

Peça ajuda quando precisar

Não preciso do fácil; apenas do possível.

Bethany Hamilton, ganhadora do prêmio *Surf Phenomenon and Inspiration* para o filme *Soul Surfer — Coragem de viver* (2011)

TODA MÃE PRECISA DE AJUDA.

Todas nós temos fraquezas, atitudes pecaminosas, maus hábitos e tendências que exigem que nos inclinemos para o Senhor todos os dias em busca de força. Também precisamos ser capazes de nos curvar para cada uma das nossas irmãs na fé. Por causa das suas grandes responsabilidades, você precisa estar saudável e inteira. Seus filhos precisão de uma Mãe Guerreira de Oração que possa se envolver ativamente na batalha por eles.

A autora Ann Voskamp, em uma tentativa de descrever a sua luta com a depressão, disse:

> Durante vários anos, acordei de manhã querendo morrer. A vida se transformou em um pesadelo. Durante anos, puxava a coberta sobre a cabeça temendo começar outro dia que tinha acabado de arruinar. [...] Ficava deitada ouvindo as palavras de provocação soando nas minhas fortalezas interiores. [...] *Perdedora. Conturbada. Fracassada.* Eram placas pregadas sobre a cabeça, passando através de mim e denominando-me. As estrelas estão desaparecendo. [...]
>
> Acordo para sentir na pele um descontentamento com a vida. Acordo para odiar a mim mesma. Para a luta de fazer tudo, a sensação an-

> siosa e incessante de que estou falhando. [...] Grito com as crianças, inflamo com amargura, esqueço as consultas médicas, perco os livros da biblioteca, vivo de forma egoísta, pulo a oração, reclamo, durmo tarde, deixo de limpar os banheiros. Estou cansada. Estou com medo. Ansiosa. Fraca. [...] Sinto nas veias a pulsação da esperança perdida. Será que jamais serei suficiente, descobrirei o suficiente, farei o suficiente?[24]

Ann é uma esposa amorosa, mãe devotada que dá aulas em casa para seus seis filhos, autora dotada e muito mais. Contudo, Satanás ainda tenta atacá-la e fazê-la se sentir sem valor e insignificante.

Uma das amigas de Ann desafiou-a a manter um diário de gratidão, no qual ela registrou milhares de coisas pelas quais era grata. Quando Ann começou a ver a sua vida através das lentes da ação de graças, sua nuvem negra de depressão e descontentamento começou a se dissipar. Seu livro *One Thousand Gifts* [Mil dádivas] apresenta um relato pungente e edificante de como Deus mudou a sua vida e a ajudou a curar as suas feridas emocionais por intermédio das expressões de gratidão dela.

Como Ann, você pode estar lutando contra a depressão, a doença ou outra condição que a impede de levar uma vida vitoriosa. Acredito que Deus quer que você ouça hoje esta mensagem de Isaías 41:13: "Pois eu sou o SENHOR, o seu Deus, que o segura pela mão direita e lhe diz: Não tema; eu o ajudarei."

Assim que puder, peça a um membro da sua família, amiga ou babá para ficar com seus filhos para você descansar por algumas horas, orar e se revigorar. Faça anotações no seu diário de oração e no seu diário de gratidão. Consiga algum tempo para orar e agradecer; crie um descanso em meio ao caos. Quando você e eu reservamos um tempo para nós mesmas, os nossos filhos se beneficiam disso, assim como o nosso marido e nós mesmas.

Talvez você esteja sofrendo por causa de um abuso ou de um vício. Pode não ser fácil conseguir ajuda, mas é *possível*. Ore a Deus para lhe garantir a esperança e a força para conseguir ajuda. Livrar-se de um abuso ou de um vício exige motivação. O típico processo de cura envolve

---

[24] VOSKAMP, Ann. *One Thousand Gifts*: A Dare to Live Fully Right Where You Are. Grand Rapids: Zondervan, 2010, p. 26-27.

aconselhamento e outras formas de assistência, e a melhora também leva tempo. Conseguir ajuda exige que você seja visionária, dê aquele passo de fé acreditando que seu futuro *tem* de ser melhor que o seu passado.

Você já percebeu que *o tempo não cura nada sozinho*? A maioria das nossas mágoas e das nossas feridas exige muito mais que tempo para isso. Você merece ficar bem. Você e os seus filhos merecem viver em paz e em segurança. Você merece viver o resto da sua vida em vitória espiritual, em vez de em desespero.

Não só isso, mas você é *responsável* por ficar bem. Você ama a sua família, e eles precisam de você. Claramente, Satanás quer mantê-la marginalizada, mas *Deus a quer na linha de frente*. Ele quer que você se torne uma Mãe Guerreira de Oração mais positiva, alegre e espiritualmente saudável.

Acredito tão firmemente que hoje é seu dia de começar a cura que lhe pedirei para fazer algo radical: *deixe este livro de lado, pegue o telefone e peça ajuda.*

Parabéns! Estou orgulhosa pelo seu avanço.

Enquanto escrevia este livro, fui encorajada pela canção "Overcome" ["Superar"], de Jeremy Camp, artista cristão, baseada em Apocalipse 12:10-11.

> Foi lançado fora o acusador dos nossos irmãos, que os acusa diante do nosso Deus, dia e noite. *Eles [os cristãos] o venceram pelo sangue do Cordeiro e pela palavra do testemunho que deram* [grifo da autora].

Satanás, nosso acusador, foi vencido por você através do sangue de Jesus e do seu testemunho de fé. Você vive como uma vencedora ou como uma derrotada?

Sinto empatia por você caso se sinta derrotada, pois já passei por isso. Entendo a miríade de desafios nas tentativas de explicar a sua depressão ou sofrimento emocional para o seu marido, para a sua família ou para os seus amigos. Durante a minha depressão pós-parto, ouvi várias das seguintes declarações. Talvez você também as tenha ouvido:

- "Deus não quer que você fique deprimida [dependente ou doente]."
- "É normal alguém que acabou de ser mãe ficar triste e estressada. Você vai ficar bem."

- "Se parar de ter pensamentos negativos e destrutivos, vai se sentir melhor."
- "Saia dessa, seu bebê [ou marido e outros filhos] precisa de você."
- "Tantas pessoas estão em uma situação pior que a sua. Você deveria agradecer."
- "Essa deveria ser a época mais feliz da sua vida."
- "Seu bebê é bonito e saudável, você deveria estar feliz."
- "*Foi você* que quis ser mãe. Por que não está entusiasmada com isso?"
- "Se tivesse orado bastante [tivesse fé suficiente, ou não tivesse cometido esse ou aquele pecado], isso não teria acontecido com você."
- "Se fosse uma pessoa mais forte [mais resistente ou mais espiritual] não estaria lutando contra essa questão."
- "Você tem um marido maravilhoso [e/ou filhos bonitos, uma casa adorável, um bom emprego e assim por diante]. Por que está tão deprimida assim?"
- "Talvez você apenas não tenha nascido para ser mãe."
- "Você deve estar enlouquecendo. Não é normal uma mãe se sentir assim [dizer essas coisas ou agir dessa maneira]."
- "As mulheres têm bebês há milhares de anos. Qual é o grande problema? Por que é tão difícil para você?"
- "Quando começar a dormir mais [ou se exercitar, perder peso, mudar de dieta, tomar vitamina, voltar a trabalhar, ler a Bíblia, orar mais etc.], se sentirá melhor."
- "Se parar [de trabalhar fora, de amamentar etc.] vai melhorar."
- "Talvez você devesse enviar os seus filhos para adoção."

Choro por você se o seu clamor por ajuda não for ouvido. Oro para que você, com o auxílio do Senhor, se responsabilize por buscar a sua própria cura. Reconheço que o seu sofrimento é real. A depressão e a ansiedade, em sua raiz, não são problemas "espirituais", embora possam afetar a nossa vida espiritual. A depressão e a ansiedade têm causas mentais, químicas, psicológicas, físicas e emocionais bem comprovadas.

Mais importante, se estiver lutando contra uma ou mais dessas condições, por favor, lembre-se de que *não é sua culpa*. Acredito que você ficará bem e que a sua cura, como a minha, será um ganho mútuo para toda a sua família e para o seu círculo de influência.

Percebi agora que, desde a faculdade, tenho sofrido ciclos de depressão, mas era teimosa, acreditava na mentira de que as "pessoas espirituais não ficam deprimidas". Queria ser uma esposa e mãe perfeita, o exemplo piedoso, a mulher espiritual que tinha tudo sob controle o tempo todo. As pessoas me viam como um modelo de cristianismo, e eu não queria decepcioná-las. Além disso, meu marido (o "realista") não sabia como me ajudar e não me encorajou a buscar tratamento.

John Lennon disse certa vez: "Quando está afundando, você não diz: 'Ficaria incrivelmente contente se alguém perspicaz percebesse que estou afundado e viesse me ajudar', você simplesmente grita."[25]

A maioria de nós nem mesmo grita. Sei que não gritei. Apenas sofremos em silêncio.

Mary Beth Chapman, esposa do artista cristão Steven Curtis Chapman, escreveu: "As pessoas que não sabem muito sobre depressão frequentemente a concebem como uma grande tristeza, mas ela é muito mais do que isso. Estava triste, enlouquecida, frustrada, com medo, reclusa, em perigo, esmagada e descrente. Ninguém quer esses adjetivos... e, com certeza, ninguém quer viver com uma pessoa assim."

Mary Beth, finalmente, procurou ajuda. Seu médico, após testá-la, disse: "Não sei se você está familiarizada com a expressão 'depressão clínica', mas acredito que sofre dela há muito tempo."

Mary Beth continuou seu relato:

> Foi um alívio saber que aquilo de que sofria tinha um nome, [mas], ao mesmo tempo, me senti culpada e envergonhada. Como se tudo fosse um erro meu. Não tinha nenhum motivo lógico para estar deprimida. Tinha um marido maravilhoso, amoroso e fiel e filhos saudáveis e ótimos. Éramos abençoados do ponto de vista financeiro. Não vivia na pobreza, oprimida, tampouco sofrendo.
>
> [...] Descobri que essa minha depressão tinha se tornado de fato uma oportunidade de reconhecer para Deus que ele era minha única esperança. Nos momentos mais tenebrosos e solitários no meio da

[25] LENNON, John. *Rolling Stone*, 1970, http://www.beatlesbible.com/songs/dont-let-me--down/.

noite, percebi que Cristo é verdadeiramente tudo o que tenho. Percebi que tudo o mais — tudo mesmo — é passageiro."[26]

Benjamin Franklin disse: "A definição de insanidade é fazer a mesma coisa repetidamente e esperar resultados diferentes." Mas será que não nos é fácil entrar em uma rotina e permanecer nela, sobretudo com todas as nossas responsabilidades de cuidar do nosso marido, dos nossos filhos e da nossa casa? *Para ficar bem, você tem de interromper o ciclo. Tem de começar a viver de forma diferente.*

Jesus ilustrou isso ao perguntar incisivamente às pessoas: "Você quer ser curado?"

João 5 descreve um homem que ficava todos os dias deitado ao lado do tanque de Betesda à espera de alguém que o pusesse no tanque para que melhorasse. Ele era paralítico havia 38 anos.

Quando Jesus viu o homem deitado ali, teve compaixão e lhe perguntou: "Você quer ser curado?"

O homem respondeu: "Senhor, não tenho ninguém que me ajude a entrar no tanque quando a água é agitada. Enquanto estou tentando entrar, outro chega antes de mim."

Então Jesus lhe disse: "Levante-se! Pegue a sua maca e ande." Imediatamente o homem ficou curado, pegou a maca e começou a andar. Isso aconteceu durante o Sabbath; mas Jesus não se importou. Ele garantiu o milagre para o homem — um novo sopro de vida.

Em seu livro, *Come Closer* [Aproxime-se], Jane Rubietta escreveu:

> Às vezes a resposta honesta para a pergunta de Jesus: "Você quer ser curado?" é: "Não, na verdade não. Nem tanto; não urgentemente." Quando não estamos bem, sempre temos uma desculpa. Não temos de participar completamente do curso que nos é apresentado ou das opções disponíveis; fazemos concessões, não esperamos muito de nós mesmas, mas esperamos mais dos outros. Não estar bem nos fornece oportunidades não saudáveis de autoindulgência, de mimos por outras pessoas e de exigência de muita atenção. Talvez a doença seja raiva, amargura, rancor, ansiedade com relacionamentos ou algum outro meio de manter as pessoas a distância.

---

[26] CHAPMAN, Mary Beth com VAUGHN, Ellen. *Choosing to See*. Grand Rapids: Baker Publishing Group, 2010, p. 67.

> O pecado nos deixa relutantes em encontrar o Autor da vida. Quando aprecio empilhar o tijolo e a argamassa entre mim e os outros, esperando que a minha estratégia de distanciamento e isolamento angarie a atenção e a pena da outra parte, peco. E parte de mim morre. Porque, sempre que me afasto do relacionamento, vou em direção à morte. E para longe de Jesus.[27]

Em Lucas 19:9, Jesus disse: "Hoje houve salvação nesta casa!" Hoje é o dia de você quebrar essas pesadas algemas e dançar com alegria diante do Senhor. Hoje é seu dia de destrancar a prisão da raiva, do vício e do desespero para que possa voar livre como uma águia.

A ajuda está sempre disponível, mas *você precisa pedir por ela*. Satanás a faz pensar que ninguém se importa ou que ninguém quer ajudá-la; essa é uma mentira do poço do inferno. Muitas pessoas na terra a amam, e sua vida tem valor infinito para Deus.

Talvez a tentativa de expor as suas necessidades ao seu marido, à sua mãe, ao seu pai, à sua amiga, à sua colega ou alguém de sua igreja não tenha funcionado. Talvez você seja uma mãe solteira ou more em uma área isolada. Talvez não tenha família por perto ou alguém para olhar os seus filhos para que possa ir a um aconselhamento.

Independentemente de quão tenebrosa seja a sua situação, você pode pelo menos dizer a alguém (um pastor, uma amiga, um médico, um de seus pais, seu marido ou até algum membro distante da família) que precisa de ajuda. Se não tiver a energia de buscar ajuda por você mesma, por favor, peça para alguém conseguir ajuda *para* você.

Entendo como é estar sob ataque espiritual. Enquanto digitava esse capítulo, tinha arranhões, machucados e uma grande lesão esverdeada sob a pele da minha mão esquerda. No dia anterior, estava brincando no quintal com meus filhos quando percebi que havia um espinho na minha mão. Abaixei-o e o puxei. Nada demais, certo? Alguns minutos depois, levei as crianças para dentro e lavei as mãos na pia do banheiro.

Meu rosto começou a ficar vermelho, como se tivesse comido um prato cheio de pimenta malagueta. A seguir, meu coração começou a bater estranhamente rápido e fora de ritmo. Peguei o telefone, sentei-me no sofá e liguei para o meu marido.

---

[27] RUBIETTA, Jane. *Come Closer.* Colorado Springs: WaterBrook Press, 2007, p. 38-39.

— Acho que estou tendo uma reação alérgica — disse-lhe.

— Ligue para a emergência — respondeu ele.

Quando liguei para o telefone de emergência, mal conseguia falar. O meu cérebro e a minha língua estavam completamente desconexos. A atendente perguntou meu nome e o meu endereço. Ela me pediu para soletrá-los, exigindo um grande esforço da minha parte. A seguir, ela perguntou:

— Você consegue se levantar e abrir a porta da frente?

Olhei para a porta; quando ela tinha mudado de lugar? De repente, ela estava a um quilômetro de distância!

Levantei com dificuldade e destranquei a porta. Cambaleei na ponta do carpete, caí e desmaiei. Presumo que a atendente da emergência ainda estivesse na linha. Não tenho ideia de quanto tempo fiquei inconsciente.

— *Acorde.*

— *Acorde* — sussurrava uma voz baixa e calma na minha mente desorientada.

O Espírito Santo deve ter dito essas palavras para mim porque subitamente acordei. Não tinha ideia de quem eu era, onde estava ou o que tinha acontecido. Estava deitada sobre o meu lado esquerdo, com uma estranha visão lateral do corredor, como se tivesse tropeçado em uma casa cheia de brinquedos. (Descobri mais tarde que a confusão mental é um dos sintomas desse tipo de reação alérgica.)

Sentia alguma coisa na minha mão esquerda; examinei o lugar e vi o telefone. Apesar da confusão mental, lembrei que tinha ligado para a emergência.

Nesse momento, a porta da frente foi aberta e os paramédicos entraram apressados. Eles me deram uma injeção de epinefrina no braço esquerdo e me levaram depressa para o hospital. Eu tinha entrado em choque anafilático pela minha exposição ao espinho e às picadas de formiga.

Bizarro, não? Por favor, tenha em mente que não tenho alergia de nenhum tipo. Levei múltiplas picadas de abelhas e mordidas de outros insetos e nunca tinha tido nenhum tipo de reação alérgica a nenhum deles.

Depois do meu susto quase fatal, Satanás não esperou nem mesmo um dia para lançar um ataque secundário contra mim. No dia seguinte à minha estadia no hospital, quando o meu marido me ajudava a transferir e a copiar alguns arquivos que continham os capítulos deste livro, a pasta contendo *toda a primeira parte do livro* desapareceu. Oito capítulos.

De início, fiquei em choque. *Isso não pode estar acontecendo*, pensei. Tentamos abrir o arquivo repetidas vezes. Nada.

Encostei a cabeça na mesa e solucei. Aquele foi um dos piores momentos de toda a minha vida. Tinha derramado o meu coração e a minha alma nesses capítulos. Sentia que não havia como recriá-los exatamente como eram antes. Também fiquei assustada com a possibilidade de não conseguir terminar o livro a tempo depois de perder tanto material. E ainda me sentia exausta e adoentada por causa dos efeitos da reação alérgica.

Instalou-se em mim um espírito de depressão e desespero nos dias seguintes. Não suportava o pensamento de ter de me sentar e reescrever centenas de páginas. Durante esse tempo, orei continuamente ao Senhor, pedindo força e inspiração renovadas. Pedi-lhe a graça para escrever esses oito capítulos do livro e liberá-los para ele. Implorei pela energia física e emocional para recomeçar com mais verdade, mais paixão e com mais poder as palavras que ele queria que eu dissesse.

Para ser honesta, tive uma festa de piedade em grande escala. Meu foco ainda estava em mim mesma e na dor da minha perda. Orei: "Deus, por favor, ajude-me. Ajude-me a conseguir lembrar e redigitar o que perdi. Ajude-me a ministrar para minhas leitoras. Se houver novas percepções que o Senhor quiser que inclua, por favor, passe-as para mim. Faça com que a nova versão fique melhor do que antes."

Mais tarde naquele dia estava na cozinha quando a voz do Espírito Santo enviou o seguinte versículo bíblico (que também é a letra de uma música cantada por Steve Green), certeiro e verdadeiro como uma flecha na minha mente: "*Aquele* que começou boa obra em vocês, vai completá-la" (Filipenses 1:6; grifo da autora).

Pensei por um momento.

"*Aquele* que começou boa obra em vocês, vai completá-la."

Em outras palavras: "Marla, você não pode completar isso, mas eu posso. Entregue-o para mim. Deixe-me escrever o livro com as suas mãos."

Enquanto digitava, o meu coração estava em um lugar completamente diferente depois de lidar com essas duas provações extremamente dolorosas. Mais que nunca sei que Deus é fiel. Ele está no controle.

Seu Espírito Santo está *comigo*, e ele está *comigo*. No tempo de Deus, o livro já está terminado e criando resultados milagrosos no céu e na terra.

Na verdade, de maneira estranha, me senti encorajada pelo fato de Satanás ter tentado com tanto afinco impedir que este livro fosse escrito. Para mim, isso confirmou que *O poder da oração para mães* será uma ferramenta de Deus para capacitar muitas mães a orar pelos seus filhos com coragem e fé. Minha fé de que ele usará as orações e os princípios deste livro para ajudá-la a progredir a fim de abençoá-la e ajudá-la a ver os seus milagres na vida dos seus filhos foi renovada.

Minhas amigas, Satanás lutará com afinco, mas Deus já o venceu. Não posso lhe prometer uma vida livre de sofrimento e provação; mas posso lhe prometer uma vida de esperança em Jesus Cristo — esperança como um potentíssimo holofote que atravessa até mesmo a noite mais escura e a neblina mais densa. Ele está me curando e sei que fará o mesmo com você.

Shauna Niequist escreveu:

> Há coisas que nos acontecem e, quando acontecem, nos deixam duas opções. De todo jeito, nunca mais seremos as mesmas, nem deveríamos ser. Essas coisas nos desnudam até os ossos e permitem que fiquemos fortes e que sejamos honestas, ou podem ser o motivo pelo qual costumamos nos comportar mal, a justificativa para todos os relacionamentos arruinados e ideais abandonados. Poderia ser a coisa que permite que tudo mude, que o bloqueio da nossa vida finalmente seja liberado e que nosso "eu" reprimido floresça como se fosse a mais vistosa flor. Ou pode ser o motivo que usamos para justificar a nossa raiva e o tom incisivo da nossa voz pelo resto da nossa vida.
>
> Você celebra quando acha que está no comando? Isso é fácil. Celebra quando acha que seu plano está funcionando? Todo mundo consegue fazer isso. Mas, quando percebe que a história da sua vida pode ser contada de mil maneiras diferentes, que pode contá-la tragicamente repetidas vezes, mas escolhe chamá-la de épica, é que você começa a aprender o significado de celebração. Quando o que vê diante de você está tão distante do que sonhou, mas tem a crença, a coragem e a ousadia de considerá-la bonita, em vez de um erro, isso é celebração.[28]

[28] NIEQUIST, *Cold Tangerines*, p. 175-78.

Oro para que você comece hoje a celebrar a sua vida como um épico. Espero que se arme bem para a batalha e se cerque *agora* de outras mulheres de oração que a amem e a apoiarão. Comece um grupo da Mãe Guerreira de Oração na sua igreja e ore fielmente com essas mulheres. Estruturei este livro com 15 capítulos para que pudesse ser usado durante um semestre ou um estudo da Bíblia de verão.

Deus a considera digna de lutar na linha de frente e a equipou com todas as armas de que necessita para vencer. As suas orações por seus filhos já estão canalizando uma quantidade impressionante de poder do céu para a terra. Você é o supercondutor, trazendo a vontade de Deus do céu e pondo-a no círculo da sua família na terra. Seu Pai celestial diz: "Certamente, como planejei, assim acontecerá, e, como pensei, assim será" (Isaías 14:24).

Oração de hoje

Querido Senhor, preciso da sua ajuda. Carrego há muito tempo um fardo [tristeza, depressão, estresse, sofrimento, dependência etc.]. Estou pronta para conseguir ajuda, pois não quero mais viver assim. Quero viver em vitória. Reivindico a sua cura hoje. Reivindico hoje como o começo da minha jornada em direção ao bom estado. Acredito que o Senhor tem um plano para fazer o meu futuro próspero e abençoar os meus filhos muito além do que posso sequer pedir ou imaginar.

Deus, acredito que o Senhor pode fazer isso. Por favor, ajude minha descrença. Aumente a minha fé quando ela enfraquecer. Dê-me a motivação para buscar ajuda. Preciso desesperadamente de uma nova infusão da sua graça. Anseio pela segurança e proteção que só o Senhor pode prover. Anseio por um lar em que a paz, a paciência e o amor abundem. Transforme-me em um instrumento da sua paz na minha família. Ensine-me o modelo de paciência e fé triunfante. Dê-me um nome, um lugar em que possa encontrar ajuda. Abra uma porta para mim. Por favor, traga alguém para a minha vida que possa me ajudar. Permita que eu tenha um "encontro divino".

Garanta-me a motivação e a energia para conseguir ajuda e curar a mim mesma e aos meus filhos. Agradeço de antemão pela sua cura. Acredito que o Senhor já viu a minha cura acontecer por intermédio do poder do seu Espírito. Acredito que o Senhor também garantiu a plenitude, a cura, a paz e a segurança dos meus filhos. Abdico do espírito de medo. Dê-me hoje uma mente segura e sã e também uma fé vitoriosa. Em nome de Jesus, amém.

A espada do Espírito

"A sua luz irromperá como a alvorada, e prontamente surgirá a sua cura; a sua retidão irá adiante de você, e a glória do SENHOR estará na sua retaguarda" (Isaías 58:8).

"Apesar disso, esta certeza eu tenho: viverei até ver a bondade do SENHOR na terra" (Salmos 27:13).

"Mas para vocês que reverenciam o meu nome, o sol da justiça se levantará trazendo cura em suas asas. E vocês sairão e saltarão como bezerros soltos do curral" (Malaquias 4:2).

"Cria em mim um coração puro, ó Deus, e renova dentro de mim um espírito estável" (Salmos 51:10).

"Até agora vocês não pediram nada em meu nome. Peçam e receberão, para que a alegria de vocês seja completa" (João 16:24).

"Levante-se, grite no meio da noite, quando começam as vigílias noturnas; derrame o seu coração como água na presença do SENHOR. Levante para ele as mãos em favor da vida de seus filhos" (Lamentações 2:19).

"Mas tu, SENHOR, és o escudo que me protege; és a minha glória e me fazes andar de cabeça erguida" (Salmos 3:3).

Perguntas para a discussão em um pequeno grupo

1. Em que áreas da sua vida você mais precisa de ajuda hoje? Enumere as três principais.
2. Que mentiras, palavras desencorajadoras e comentários prejudiciais você tem ouvido em relação a esses problemas? Se você se sentir confortável, discuta-os com o seu grupo e escreva-os. É importante que você reflita sobre eles. Que falsas mensagens (ou mensagens de culpa, acusação e vergonha) Satanás tem lhe enviado quanto a esses problemas?
3. Agora, pense nas Escrituras que aprendeu ao longo deste livro e nas verdades espirituais que está descobrindo. Escreva uma resposta bíblica positiva para refutar cada uma das mensagens negativas.
4. Imagine Jesus na sua frente perguntando: "Você quer ser curada?" Qual seria a sua resposta? Que medos e desculpas a impedem de melhorar?
5. Como a sua vida mudará quando buscar a cura nas áreas em que mais precisa? Como a vida dos seus filhos melhorará? Enumere todas as mudanças positivas em que consegue pensar.
6. Mencione uma pessoa ou lugar que você contatará hoje (ou assim que possível) a fim de pedir ajuda. Escreva o nome e telefone das pessoas ou organizações. Quando telefonará ou visitará esses contatos? Peça a um membro do seu grupo Mãe Guerreira de Oração ou a uma parceira de prestação de contas para não deixá-la desistir de procurar ajuda.

Capítulo 7

Aprenda a orar com amor

A oração não deve ser considerada uma obrigação a ser realizada, mas antes um privilégio a ser desfrutado, um raro deleite que sempre revela uma nova beleza.

E.M. Bounds[29]

Apaixonar-se pelo Pai significa apaixonar-se pela oração. Andrew Murray escreveu: "A oração respondida é a troca de amor entre o Pai e os seus filhos."[30] Não podemos ter relacionamentos terrenos satisfatórios sem amor; assim como quanto ao nosso relacionamento de oração com o Senhor do universo. A disciplina diária de oração gera o amor e, quanto mais amamos a Deus, mais fácil fica a disciplina diária.

Admito que para mim orar era algo entediante. Deus, por intermédio do seu Espírito, transformou em vibrante o que era entediante. Ele fará o mesmo por você! Você pode aprender a orar dando pequenos passos. Dispense as formalidades e olhe mais uma vez para Deus através dos olhos de uma criança com coração puro e fé resoluta.

Talvez você tenha crescido com uma percepção de Deus como um ser raivoso, violento, condenador, desaprovador ou julgador. Talvez tenha aprendido que a única maneira de orar é repetindo orações memorizadas que têm pouca relevância ou significado para a sua vida.

---

[29] BOUNDS, E. M. http://www.examiner.com/christian-living-in-nashville/inspirational-quotes-on-prayer.

[30] MURRAY, Andrew. http://www.goodreads.com/quotes/show/197572.

Talvez o seu pai ou a sua mãe abusassem de você, o que a impediu de se esforçar para ver Deus como bom, amoroso e afável.

Se esse for o caso, ore: "Senhor, cresci com uma imagem falsa ou incompleta de quem o Senhor realmente é. Por favor, ajude-me a vê-lo como amoroso, justo e generoso. Ajude-me a me tornar uma mãe segundo o seu coração, que reflita o seu amor e a sua graça para os meus filhos."

Comece hoje mesmo a criar um novo hábito de oração. Os cristãos primitivos, com frequência, criavam "gabinetes de oração" para eles mesmos. Ache uma cadeira confortável, uma mesa ou outro lugar (público ou privado) que sirva como o seu "gabinete de oração". Se ainda não tiver, compre um diário bonito ou um caderno para registrar os seus pedidos de oração e louvores. Prepare uma xícara de chá quente ou café para você desfrutar enquanto lê, destaque trechos e ore ao longo deste capítulo e das Escrituras no final dele. Se possível, ore também por meio das Escrituras no final de todos os capítulos e comece a memorizar as passagens bíblicas.

Talvez também queira comprar ou fazer uma placa com frases sobre a oração e pendurá-la no seu "lugar de oração" ou em um lugar de destaque como um lembrete. Encontrei há pouco tempo uma placa encantadora que diz: "A oração muda as coisas!" Pendurei-a na cozinha para que a veja enquanto preparo o café da manhã.

Sou uma pessoa matutina, por isso a manhã é o melhor período de oração para mim. A oração matutina "estende o tapete vermelho" para Deus, estabelecendo o tom do louvor e da ação de graças para o dia. Ela nos oferece uma perspectiva espiritual que podemos carregar conosco ao longo do dia. Se comungarmos com Deus de manhã cedinho e pusermos os nossos fardos em suas mãos, nos libertaremos para desfrutar o dia despreocupadamente nas asas da liberdade e da alegria.

Também acredito que ao orarmos na frente dos nossos filhos de manhã cedinho Deus grava essa imagem positiva na mente e no coração deles. Lembro-me da minha mãe (que teve seis filhos) se levantando às 4h45 todas as manhãs para passar pelo menos uma hora orando por nós e por quem mais precisasse. Ela orava fielmente com um grosso caderno cheio de pedidos de oração. Às vezes caíam pequenos pedaços de papel e ela os punha de volta com cuidado para que nenhum pedido se perdesse. Deus gravou essa imagem na minha memória.

Quando os nossos filhos veem que somos devotadas na oração por eles, sentem o nosso amor. O nosso exemplo aquece a alma deles com uma chama de paz e segurança. O ideal é que essa atitude também os inspire a se tornarem pessoas de oração.

Talvez você seja noturna como uma coruja. Se esse for o caso, não se preocupe. Seu melhor momento para orar pode ser à tarde ou à noite. A hora do dia não importa — desde que você ore! Ore em voz alta; isso a mantém focada. Ore enquanto limpa a casa. Ore com os seus filhos na hora das refeições. Agradeça imediatamente sempre que receber uma bênção ou receber uma boa notícia. Pegue a mão do seu filho e ore com ele ou ela quando acontecerem eventos tristes ou dolorosos ou quando você precisar de orientação. Deixe os seus filhos observarem sua humilde dependência do Senhor. Mostre-lhes o que significa "orar sem cessar".

Seu amor pela oração aumenta à medida que aprende a ver Deus como seu Aba — Pai — extravagante, generoso e gracioso. Pense no quanto você ama seus filhos. Agora, multiplique esse amor por um bilhão e terá uma ínfima ideia do quanto Deus a ama. Centre o seu coração no amor extravagante de Deus por você por intermédio de Cristo. A Bíblia diz que Deus é bom, a ama de forma impetuosa, leal, perfeita e para sempre. Ele "se regozijará em você [...] com brados de alegria" (Sofonias 3:17).

Conforme a sua fé cresce, você começa a concordar com Deus em relação ao que é bom e santo (e ao que não é) em sua vida e na vida dos seus filhos. Os seus desejos e atributos começam a se alinhar com os dele. Descobre como explorar a vontade do Senhor para você e para os seus filhos. Encontra a paz à medida que aprende a aceitar o "sim" dele, independentemente do quão difícil isso possa ser.

Quando ora diariamente pelos seus filhos, os seus familiares e os seus amigos percebem a diferença em você. A sua perspectiva espiritual fica mais clara e profunda como a água límpida tirada de um poço artesiano. Prometo-lhe que você experimentará progressos impressionantes na sua vida e na vida dos seus filhos. Não é "mágica", é o resultado sobrenatural das suas orações e da sua caminhada de amor com o Senhor. Ele diz: "Clame a mim e eu responderei e lhe direi coisas grandiosas e insondáveis que você não conhece" (Jeremias 33:3).

Nas Escrituras, observamos que Jesus sempre agradece, e o seu agradecimento precede os milagres que Deus realiza através dele. Um autor escreveu: "*Eucharisteo* — ação de graças — sempre precede o milagre."[31] Talvez você precise de um milagre agora mesmo. A Bíblia está repleta deles: a alimentação das cinco mil pessoas. A ressurreição de Lázaro. Jesus trocando a sua vida por nós, aceitando uma morte tão agonizante que gerou uma palavra para descrevê-la: "excruciante". Este é o milagre mais impressionante de todos — que Deus tenha se tornado um homem, tomado os nossos pecados sobre si mesmo e morrido para nos redimir. Ele escolheu suportar a cruz "pela alegria que lhe fora proposta" (Hebreus 12:2).

A oração funciona; Deus nos promete isso na sua Palavra. Quando você se torna uma Mãe Guerreira de Oração, o Espírito Santo banha o seu espírito com fé, paz, alegria e confiança cada vez maiores. Deus vivifica as suas orações e as usa como dinamite para estourar todos os obstáculos que impedem você e os seus filhos de terem uma vida jubilosa, saudável e abundante. Você encontrará esperança e descanso no amor de aliança eterno de Deus (Filipenses 4:7).

Quando conversar com Deus, converse como faz com a sua melhor amiga. Por que você gosta tanto de conversar com ela? Por que gosta da companhia dela? Que tipos de conversa vocês têm ao telefone? Como ela a encoraja e a anima? Do que você gosta nela? Que atividades divertidas vocês fazem juntas?

Algo essencial para todos os relacionamentos satisfatórios é a *conexão*. Amamos o nosso cônjuge, os membros da nossa família e os nossos amigos porque compartilhamos uma profunda conexão com eles. A companhia deles é divertida. Temos interesses e traços de personalidade em comum. Podemos estar no mesmo estágio da vida. Nossos filhos e os dela podem ter a mesma idade. Nossa conexão compartilhada nos torna "almas gêmeas".

Você e Deus também podem ser almas gêmeas. Você aprende a amar a oração quando fortalece e saboreia a conexão que tem com ele. Quando comunga de forma mais profunda com o Senhor, a sua consciência espiritual aumenta. Você passa a "ouvir" a orientação do Espírito Santo com mais clareza no seu espírito. Os clarões de discernimento

[31] VOSKAMP, *One Thousand Gifts*, p. 35.

e entendimento iluminam a sua mente conforme Deus revela áreas positivas de crescimento na vida dos seus filhos, assim como as problemáticas, as preocupantes, as fraquezas e as questões espirituais.

Os jardins cultivados e regados produzem mais fruto. O "jardim" da sua família funciona da mesma maneira. Para plantar e cultivar uma vida de oração frutífera, temos de depender completamente de Jesus como a videira verdadeira. Ele é a videira; e nós somos os ramos. A menos que estejamos enraizadas e sejamos enxertadas na sua vida eterna, *não temos vida*. A vida é Cristo. Ponto final.

Jesus disse: "Se vocês permanecerem em mim, e as minhas palavras permanecerem em vocês, pedirão o que quiserem, e lhes será concedido" (João 15:7). O termo *permanecer* é extraído do verbo grego *meno*, que significa "esperar ou permanecer; viver; durar; ficar".[32]

Jesus promete que os nossos desejos serão realizados *se permanecermos nele* e *se a sua palavra* (a Palavra de Deus) *viver (permanecer) em nós*. Ao cultivar uma vida saudável de oração, ficamos enraizadas nele. Ao ler e memorizar a Palavra de Deus e ao orar recitando as Escrituras pelos nossos filhos, criamos a "sala de estar" para a verdade de Deus viver em nós. Charles Spurgeon, um grande pastor, disse: "Se quiser ter esse poder esplêndido na oração, precisa permanecer em união amorosa, viva, eterna, consciente e prática com o Senhor Jesus Cristo."[33]

Que recompensas colheremos por permanecer na videira verdadeira? Jesus disse: "A *minha alegria esteja em vocês* e *a alegria de vocês seja completa*" (João 15:11; grifo da autora).

Ganhamos uma bênção de duas partes. Primeiro: Jesus nos dá a sua alegria, uma alegria perfeita, madura e permanente. Ele tinha uma alegria que ninguém podia lhe tirar — nem mesmo os cruéis soldados romanos que o açoitaram, riram dele e prenderam as suas mãos e pés na cruz. A Bíblia até mesmo diz que Jesus, "pela *alegria* que lhe fora proposta, suportou a cruz" (Hebreus 12:2; grifo da autora).

Segundo: Jesus prometeu que, quando permanecemos nele e seguimos as suas ordens e diretrizes fornecidas nas Escrituras, a nossa

---

[32] *The Strongest NASB Exhaustive Concordance*, s.v., "*Meno*". Grand Rapids: Zondervan, 2004, p. 1.546.

[33] SPURGEON, Charles, cf. http://www.examiner.com/christian-living-in-nashville/inspirational-quotes-on-prayer.

alegria é completa (abundante). Temos alegria e esperança mesmo em meio a noites insones, nos rodízios de carro, nos montes de roupa suja e nas visitas ao pronto-socorro. Temos contentamento quando normalmente sentiríamos medo, perturbação, inveja dos outros ou apenas reclamaríamos da nossa situação.

Deus é a única Pessoa com quem você pode (e deve) compartilhar sua parte mais íntima. Descobri que o acúmulo e frustração de coisas referentes ao trabalho diário com a criação dos filhos não são entendidas nem mesmo pelo meu próprio marido. Tentei transmitir os meus sentimentos, mas nem sempre ele consegue ser solidário comigo. Compartilho com ele porque quero que me conheça e que seja o meu parceiro em todas as coisas pelas quais estou passando. No entanto, com o seu trabalho e com as suas responsabilidades referentes à criação dos nossos filhos, ele já está sobrecarregado com o próprio fardo. Ele nem sempre sabe como me encorajar e me dar um impulso de energia emocional.

Queremos que o nosso marido nos inspire, nos ame, nos elogie, torça por nós, nos surpreenda e seja um "romântico incorrigível". Ficamos desapontadas quando eles não fazem essas coisas. Mas tenho de aceitar o fato de que a minha paz interior, a minha vida mental e o meu bem-estar espiritual não podem se fundamentar no que meu marido faz (ou não faz). Você e eu não podemos esperar que o nosso marido tome o lugar de Deus na nossa vida. Não podemos esperar que ele nos ame de forma perfeita. Se fizermos isso, sempre seremos esmagadas pelo desapontamento.

Em vez disso, enraíze as suas orações na fundação de Jesus Cristo e na esperança que ele lhe dá, pois ele nunca nos desaponta. Ensine aos seus filhos a depender de Jesus para as necessidades emocionais.

À medida que se torna uma Mãe Guerreira de Oração, o seu relacionamento com Deus floresce, se suaviza e se aprofunda. A sua confiança aumenta conforme entra na presença dele com mais frequência e com mais autoridade. Jesus disse: "Já não os chamo servos, porque o servo não sabe o que o seu senhor faz. Em vez disso, eu os tenho chamado amigos" (João 15:15). Quando aprende a permanecer em Cristo, você descobre a alegria de se tornar amiga de Deus.

Oração de hoje

Pai celestial, ensina-me a amar o meu tempo diário de oração com o Senhor. Obrigada por permitir que eu experimente o santo privilégio da maternidade. Agradeço ao Senhor por cada filho meu. Por favor, ajude-me a ser um exemplo de oração consistente e poderoso para eles. Ajude-me a ensiná-los a orar e a depender totalmente do Senhor para tudo. Inspire-me a cada dia para ser uma guerreira de oração fiel e eficaz. Mostre-me uma hora consistente em que possa orar todos os dias. Use as minhas orações como "dinamite" para destruir os obstáculos que Satanás põe no caminho dos meus filhos.

Por favor, revele-me quaisquer áreas em que os meus filhos possam estar em conflito ou sofrendo hoje. Conceda-me sabedoria sobre como encorajá-los e ajudá-los. Ensina-me a ser boa, paciente e autêntica com eles. Obrigada por me abençoar com a sua paz e com a sua alegria hoje. Louvo-o por ter enviado Jesus para a cruz a fim de nos redimir dos nossos pecados. Em nome de Jesus, amém.

A espada do Espírito

"Pois estou convencido de que nem morte nem vida, nem anjos nem demônios, nem o presente nem o futuro, nem quaisquer poderes, nem altura nem profundidade, nem qualquer outra coisa na criação será capaz de nos separar do amor de Deus que está em Cristo Jesus, nosso Senhor" (Romanos 8:38-39).

"Então vocês clamarão a mim, virão orar a mim, e eu os ouvirei. Vocês me procurarão e me acharão quando me procurarem de todo o coração" (Jeremias 29:12-13).

"Espero no SENHOR com todo o meu ser, e na sua palavra ponho a minha esperança. Espero pelo SENHOR mais do que as sentinelas pela manhã; sim, mais do que as sentinelas esperam pela manhã" (Salmos 130:5-6).

"'Abraão creu em Deus, e isso lhe foi creditado como justiça', e ele foi chamado amigo de Deus" (Tiago 2:23).

Perguntas para a discussão em um pequeno grupo

1. Que emoções e atitudes você costuma relacionar à prática de oração? Qual foi a sua primeira experiência de orar com sua família ou na igreja em que cresceu?
2. Que obstáculos e mal-entendidos a impediram de amar o processo de orar? Já achou a oração algo entediante? Se esse for o caso, por quê?
3. Como descreveria a sua atual vida de oração?
4. Qual o melhor horário para orar todos os dias? Que detalhes especiais você planeja para o seu tempo de oração ser mais agradável? Escreva-os.

Capítulo 8

Seja persistente

> A vida de oração é uma vida de diligência. [...] Nada dado a Jesus é perdido. Dar a coisa que mais ama àquele que você mais ama é o que traz alegria exuberante, a marca da vida de oração.
>
> Jennifer Kennedy Dean[34]

HERBERT KAUFMAN ESCREVEU: "O HÁBITO da persistência é o hábito da vitória."[35] Jesus enfatizou a importância essencial da persistência em uma parábola que revela verdades surpreendentes sobre o nosso Deus e sobre a sua extravagante generosidade. Essa história transformará a maneira como você vê Deus como o seu Pai, e, como resultado disso, ele infundirá grande paixão e ousadia na sua vida de oração. Essa história, registrada no evangelho de Lucas, é denominada com frequência de "parábola do amigo persistente".

> [Jesus] lhes disse: "Suponham que um de vocês tenha um amigo e que recorra a ele à meia-noite e diga: 'Amigo, empreste-me três pães, porque um amigo meu chegou de viagem, e não tenho nada para lhe oferecer.' E o que estiver dentro responda: 'Não me incomode. A porta já está fechada, e meus filhos estão deitados comigo. Não posso me levantar e lhe dar o que me pede.' Eu lhes digo: embora ele não se le-

---

[34] DEAN, *Live a Praying Life*, p. 200.

[35] KAUFMAN, Herbert, cf. BrainyQuote.com; http://www.brainyquote.com/quotes/keywords/persistence.html.

vante para dar-lhe o pão por ser seu amigo, por causa da importunação se levantará e lhe dará tudo o que precisar. Por isso lhes digo: Peçam, e lhes será dado; busquem, e encontrarão; batam, e a porta lhes será aberta. Pois todo o que pede, recebe; o que busca, encontra; e àquele que bate, a porta será aberta" (Lucas 11:5-10).

Como mães, podemos nos agarrar às promessas contidas nessa passagem: peça, busque e bata, e suas orações serão recompensadas. Não afirma que *podem* ser recompensadas; mas sim que *serão* recompensadas.

Essa parábola salienta a natureza compassiva e generosa do nosso Pai celestial. Você se refere a ele como bom, doador e santo? A.W. Tozer, autor e teólogo, disse: "O que nos vem à mente quando pensamos sobre Deus é a coisa mais importante a nosso respeito."[36] Outros dizem que até mesmo mais importante do que pensamos sobre Deus é *o que ele pensa sobre nós*. Talvez você ainda não tenha certeza se acredita em Deus, mas posso lhe garantir que ele acredita em você!

Um autor apontou algumas das verdades mais poderosas dessa parábola:

> Você não pode desanimar apenas porque o seu primeiro ou segundo pedido foi negado. Tem de ser persistente. A palavra grega traduzida por "persistente" significa "não ter vergonha", sugerindo se libertar do acanhamento que poderia impedir uma pessoa de pedir uma segunda vez. Bater à porta uma vez não indica perseverança, mas "continuar" a bater, sim.
>
> Deus, com frequência, responde-nos depois de longos e persistentes pedidos. Ele ouve as orações e concede bênçãos muito depois de elas terem parecido que não foram respondidas ou que foram negadas. Ele não promete conceder bênçãos imediatamente. Ele só promete que a dará de acordo com a sua vontade e com o seu plano. Embora ele prometa responder à oração do fiel, frequentemente exige que esperemos um longo tempo a fim de testar a nossa fé. Ele pode deixar que perseveremos durante meses ou anos até sermos completamente dependentes dele, até vermos que não há outra maneira de receber a bênção e até estarmos preparados para recebê-la. Às vezes, não estamos preparados

[36] TOZER, A. W., cf. ThinkExist.com; http://thinkexist.com/quotation/what-comes-into--our-minds-when-we-think-about-god/1211007.html.

para receber uma bênção quando a pedimos pela primeira vez. Podemos estar muito orgulhosos ou não entender a nossa dependência do Senhor. Talvez não valorizaríamos a bênção ou então não é o momento certo para ela. Se o que pedimos é bom e está de acordo com a vontade de Deus, ele dará isso no melhor momento possível.[37]

Talvez você tenha se voltado para este livro em razão de um coração partido por causa de um filho pródigo ou desobediente. Talvez tenha orado pelo seu filho ou pela sua filha adulta durante anos, mas as suas orações não pareciam fazer diferença. Ou os seus filhos ainda vivem em casa, e você está preocupada com as atitudes, os hábitos, as escolhas e as influências espirituais deles.

Se esse for o caso, por favor, não desista! Deus responde: "Continue batendo." Minha amiga, oro diariamente por você. Enquanto você e eu continuamos a orar juntas e a fazer essa jornada ao longo deste livro, você conseguirá ainda mais estratégias para ajudá-la a interceder pelos seus filhos com mais poder, especificidade e eficácia. Permaneça fiel; mesmo enquanto lê essas palavras, as suas orações derrubam barreiras espirituais e fortalezas na vida dos seus filhos.

Agora, examinemos de novo essa parábola para descobrir alguns princípios de oração que precisamos conhecer como Mães Guerreiras de Oração. Primeiro: *podemos (como as que pedem por "pão") nos aproximar confiantes de Deus como nosso amigo, não como um estranho*. Temos um relacionamento íntimo com ele. Independentemente de ser meia-noite, meio-dia ou qualquer período entre esses horários, podemos levar as necessidades dos nossos filhos para ele e confiarmos que nossas orações serão respondidas. Abra o seu coração; ele está ouvindo.

Separe um momento para pensar nas suas amigas; qual delas você visitaria à meia-noite sem avisar para pedir alguma coisa? Por que escolheria essa amiga específica em detrimento de outra? O mais provável é que você tenha grande fé no coração generoso e na atitude altruísta dela. No seu momento de necessidade, você só abordaria a uma pessoa que conhecesse bem, que a amasse e que responderia ao seu pedido. Isso também caracteriza Deus!

[37] COLLINS, Martin G. "Parable of the Persistent Friend". *Forerunner*, "Bible Study", ago. 2003. Disponível em: http://www.cgg.org/index.cfm/fuseaction/Library.sr/CT/BS/k/834/The-Parable-of-Persistent-Friend.htm.

Segundo: *não pedimos pão para nós mesmas*; estamos provendo uma refeição para outra pessoa. Na nossa vida, isso pode se traduzir como uma oportunidade de interceder em oração por uma importante necessidade que surgiu na vida dos nossos filhos ou de uma pessoa próxima de nós.

Terceiro: *o amigo pedindo pão faz um pedido razoável*. Ele não está pedindo um guarda-roupa novo e da moda, uma mala Louis Vuitton, uma casa às margens de um belo lago ou um carro esportivo; ele pede a Deus para satisfazer uma necessidade real que ele não tinha previsto. As suas orações focam as necessidades verdadeiras ou apenas desejos?

Quarto: *continuamos a pedir com persistência*. Por que continuamos a pedir, apesar de a resposta inicial do "amigo" (representando Deus) ter sido: "Não me incomode. A porta já está fechada, e eu e meus filhos já estamos deitados. Não posso me levantar e lhe dar o que me pede"? Continuamos a pedir porque sabemos que ele nos ama; a natureza verdadeira dele é o amor, e ele não pode negá-la.

Em Mateus 7:9-11, Jesus pergunta: "Qual de vocês, se seu filho pedir pão, lhe dará uma pedra? Ou se pedir peixe, lhe dará uma cobra? Se vocês, apesar de serem maus, sabem dar boas coisas aos seus filhos, quanto mais o Pai de vocês, que está nos céus, dará coisas boas aos que lhe pedirem." Deus, por ser generoso e santo, quer nos dar boas dádivas. Mateus 5:48 declara: "Perfeito é o Pai celestial de vocês." Ele sabe o que é melhor para nós e para os nossos filhos. Embora nem sempre entendamos como ele opera, ele responde às nossas orações perfeitamente de acordo com a sua própria vontade e no seu próprio tempo.

Quinto: *Deus responderá por causa da nossa "audácia sem acanhamento" — e por causa da sua natureza generosa*. "Audácia sem acanhamento" — amo essa expressão! Grave-a na sua mente e no seu coração. Audácia sem acanhamento significa que você ora com grandiosidade e com perseverança. Audácia sem acanhamento significa que você não tem medo de fazer algum pedido a Deus, confiando totalmente que ele lhe dará a melhor resposta possível de acordo com a sua santa vontade.

Essa parábola é uma das mais mal-entendidas da Bíblia, motivo pelo qual raramente a ouvimos ser pregada na igreja aos domingos. Deus, ao contrário do que algumas pessoas acreditam, não é um tirano. A Bíblia diz que o seu caráter é perfeito, santo, bom e imutável. Ele não "muda de ideia" nem fica cansado de ouvir os nossos pedidos. Não diz com má vontade: "Está bem, essa senhora pediu tantas vezes que a atenderei, pois estou cansado de ouvir a sua voz."

Deus dá a partir da generosidade e da perfeição de quem ele é. Segundo Salmos 50:10, ele possui "as cabeças de gado aos milhares nas colinas", portanto, ele tem o poder para nos dar qualquer coisa que pedimos. A Bíblia também afirma que Deus, às vezes, "arrepende-se" por causa da sua misericórdia quando ouve as nossas orações persistentes (Êxodo 32:14; 2Samuel 24:16). Isso significa que ele concede com frequência graça no lugar de julgamento e que, às vezes, interfere para nos salvar (e aos nossos filhos) do sofrimento de todas as consequências do nosso pecado. Salmos 106:45 declara: "Lembrou-se da sua aliança com eles, e arrependeu-se, por causa do seu imenso amor leal."

Quando perseveramos em oração cheia de fé, Deus costuma nos atender, mantendo a sua bondade e a sua generosidade, não o contrário. Martinho Lutero disse: "a oração não é superar a resistência de Deus, mas se agarrar à sua boa vontade." O nosso Pai "é capaz de fazer infinitamente mais do que tudo o que pedimos ou pensamos, de acordo com o seu poder que atua em nós" (Efésios 3:20).

Sexto: *Deus quer que o testemos da mesma maneira como ele nos testa.* Apoie-se firme nele e descobrirá que ele é a sua rocha inabalável. Confie o seu maior tesouro, os seus filhos, a ele. O Senhor protegerá você e as suas "ovelhinhas". Isaías 40:11 diz que Deus "conduz com cuidado as ovelhas que amamentam suas crias".

Por último: *devemos seguir o exemplo do amigo (Deus) generoso dessa parábola.* Quando um dos seus filhos, dos seus amigos ou membro da sua família precisar de sua ajuda, lembre-se da natureza compassiva do amigo que Jesus descreve aqui. Mesmo se a necessidade for desafiadora e inesperada, tente satisfazê-la. Abrace a oportunidade de inundar seu ente querido com compaixão e graça. Lembre-se de que 90% do ministério corresponde à presença!

As provações e o sofrimento acompanham a experiência humana desde a Queda do homem no jardim do Éden. Até mesmo Jesus suportou severas provações e "momentos de deserto" durante a sua vida na terra. Hebreus 5:8 nos lembra: "Embora sendo Filho, ele aprendeu a obedecer por meio daquilo que sofreu." Se você está esperando, sofrendo e orando por uma resposta há meses, até mesmo anos, talvez Deus esteja lhe ensinando as disciplinas espirituais da perseverança, submissão e obediência. Seja persistente!

Friedrich Nietzsche escreveu: "O essencial 'no céu e na terra' é [...] que deve haver uma longa obediência na mesma direção; e isso, no longo prazo, resulta e tem sempre resultado em algo que faz com que valha a pena viver."[38] A oração persistente é "uma longa obediência na mesma direção" que cria um coração limpo em você e resulta em Deus derramar bênçãos na sua vida.

Seu Pai celestial promete: "Nunca o deixarei, nunca o abandonarei" (Hebreus 13:5). E Tiago 1:12 nos oferece essa poderosa promessa: "Feliz é o homem que persevera na provação, porque depois de aprovado receberá a coroa da vida que Deus prometeu aos que o amam." Continue a perseverar e mantenha os olhos na recompensa. A sua coroa está a sua espera.

A oração persistente abre uma linha especial de comunicação entre o seu coração e o de Deus. Acredito que o ouvido de Deus está especialmente sintonizado nas orações sinceras de uma mãe pelos seus filhos. Ele mesmo, como Pai, possui um entendimento terno da compaixão, adoração e devoção que temos pelos nossos filhos. Ele nos criou à sua imagem; foi ele quem infundiu no nosso coração a animadora "mistura" de amor de mãe que nenhuma outra consegue equiparar.

Minha amiga Kimberly me deu algumas lições inesquecíveis sobre a oração persistente. Conhecemo-nos quando frequentávamos o mesmo grupo MOPS (Mothers of Preschoolers [Mães de Pré-Escolares]) na nossa igreja. Kimberly aprendeu a perseverar na oração quando o Senhor a guiou em uma cruciante odisseia espiritual envolvendo uma grande crise financeira, a doença do filho Austin e os conflitos emocionais do filho Andrew. Eis o que Kim tinha a dizer sobre o assunto:

> Andrew tinha dois anos quando Austin nasceu. Quando Austin tinha apenas algumas semanas, acordamos no meio da noite e o ouvimos engasgar. Meu marido, Scott, correu, agarrou a bombinha nasal e su-

[38] NIETZSCHE, Friedrich. *Beyond Good and Evil*. Trad. Helen Zimmern. London: 1907, sec. 188.

gou uma grande quantidade de muco. Esse foi o começo da nossa interminável batalha para lidar com a sinusite e os problemas respiratórios de Austin.

Quando Austin estava com cerca de cinco semanas, ele começou a chorar a maior parte do dia e quase a noite toda. Ele só conseguia beber 28g ou 56g de leite a cada mamada e tinha tantas crises de tosse que temíamos que ele parasse de respirar. Tinha pavor de que um dia entrasse no quarto dele, e ele não estivesse vivo. Queria ser a "mãe milagrosa" e conseguir curar Austin. Mas me sentia impotente por não poder ajudá-lo.

Durante esse tempo, Scott teve a oportunidade de se tornar sócio da sua firma de arquitetura. Oramos sobre a oferta e decidimos aceitá-la. Engolimos em seco e fizemos um cheque alto, esperando que Scott logo ganhasse o dinheiro de volta, assim que se tornasse sócio da empresa. Em vez disso, houve a recessão econômica de 2008.

Nessa época, levei Austin de volta ao médico, e este me deu uma lata da nova fórmula desenvolvida especialmente para bebês com graves problemas estomacais. Ela só podia ser comprada nas farmácias com receita. Levei a fórmula para casa, e pudemos ver a diferença; o choro de Austin não estava mais tão intenso. Então fui à farmácia para comprar mais. Uma latinha custava 35 dólares. Algumas semanas depois, o preço subiu para 55 dólares.

O negócio de Scott continuava a sofrer com a crise. Scott e os outros sócios tiveram de reduzir os próprios salários a fim de continuar pagando os funcionários. Estávamos agradecidos por ele ainda ter um emprego, mas o salário diminuía a cada mês.

Depois de alguns meses, Scott trouxe seu salário para casa, apenas setecentos dólares. Ele recebia duas vezes por mês, mas o medo e a angústia ainda inundavam a minha alma. Sabia que só o custo do médico, da fórmula e dos medicamentos de Austin era muito mais que setecentos dólares por mês, além de termos de pagar a hipoteca e outras contas. Scott também viajava o tempo todo para ajudar a manter o seu negócio. E Andrew estava tendo problemas para aceitar Austin por causa do seu choro contínuo.

Eu vivia a situação descrita em Romanos 8:26: estava tão exausta fisicamente e fraca emocionalmente que não sabia nem mesmo o que orar ou como orar por essa situação. O desespero na minha alma e os gemidos do meu espírito eram grandes demais. Mas consegui propor esta oração de apenas uma sentença e a orava sem parar: "Senhor, por favor, cure Austin, ajude Andrew e proveja para a nossa família." A privação de sono, o aperto financeiro e o estresse de cuidar de dois bebês em conflito se tornaram quase mais do que eu conseguia suportar. Estava mal — e mal por um fio — e tentando manter a minha família unida.

Austin chorava a noite toda, todas as noites. Em muitas ocasiões, ele acordava Andrew. Comecei a sentir raiva de Scott porque ele viajava o tempo todo, deixando-me sozinha com dois bebês chorando a todo momento. Tudo o que podia fazer era orar a Deus para ajudar a nossa família. Continuava repetindo aquela oração simples: "Senhor, por favor, cure Austin, ajude Andrew e proveja para a nossa família."

À medida que a condição de saúde de Austin piorava, Andrew começou a reclamar ainda mais. Ele queria a minha atenção, mas a maior parte dela ia para Austin. Um dia, estava no carro, e os meninos em suas cadeirinhas no banco de trás. Dificilmente levávamos Austin a algum lugar porque ele tendia a gritar a viagem toda. Olhei pelo espelho retrovisor e vi Andrew, frustrado, inclinar-se e começar a bater em Austin sem parar. Ele também estava muito cansado do choro constante de Austin. O meu coração se partiu pelos dois — e por mim mesma.

Com a proximidade do Natal, o meu coração pesava quando percebia que não tínhamos dinheiro para os presentes. Fui até a caixa de correio e encontrei um envelope com um cheque de quatrocentos dólares. Ainda não sabemos quem nos deu esse presente, mas ficamos muito agradecidos.

Depois do Natal, Austin ainda não estava bem. Em fevereiro, marquei uma consulta para levá-lo a um pediatra gastroenterologista que frequentava a nossa igreja. O médico me perguntou com que fórmula estava alimentando Austin. Eu respondi.

— Essa é uma fórmula realmente cara, não é mesmo? — perguntou ele.

Assenti com a cabeça.

Ele abriu o seu armário de amostras grátis que tinha pilhas e pilhas de latas dessa fórmula particular. Ele chamou a enfermeira e disse:

— Por favor, pegue essas latas e as dê para a Kim.

— É para dar quantas latas? — perguntou ela.

— Todas elas — replicou ele.

Ofeguei e literalmente solucei de gratidão ali mesmo no consultório do médico. Ele me deu latas suficientes para encher dois sacos de lixo grandes, que duraram vários meses. Não é possível nem mesmo descrever que bênção foi essa. A provisão de Deus foi um verdadeiro milagre. Sabia que ele tinha ouvido a minha oração persistente: "Senhor, por favor, cure Austin, ajude Andrew e proveja para a nossa família."

Na primavera de 2010, os problemas de sinusite e as infecções de ouvido de Austin pioraram, e ele teve de fazer uma cirurgia. Além disso, Scott ficou doente e descobrimos que ele também precisava fazer uma operação de sinusite.

Sabia que precisaríamos de ajuda com as despesas médicas. O meu pai, que tem uma fazenda de algodão no oeste do Texas, pediu para que eu o avisasse caso precisasse de dinheiro, mas nunca tive de lhe pedir. No entanto, dessa vez estávamos em uma dificuldade tão desesperadora que telefonei para ele.

— Papai, por favor, você pode nos mandar mil dólares?

Estava sufocada, de coração partido por ter de pedir ajuda a ele.

Alguns dias depois, fui à caixa de correio e encontrei uma carta do meu pai. Um cheque de *cinco* mil dólares caiu do envelope.

Nessa época, já fazia *um ano inteiro* que vivíamos com o salário drasticamente reduzido de Scott. Como isso era possível? Os números não batiam — como conseguimos pagar a nossa hipoteca, todas as nossas outras contas e as nossas despesas médicas com 1.400 dólares por mês quando só o cuidado com Austin custava muito mais que isso? Mas Deus tinha provido milagrosamente para a nossa família todos os meses. Assim, no fim aprendi a confiar nele e parei de me preocupar com as nossas finanças. Deixei que ele fizesse as contas!

Quando Austin estava com cerca de 14 meses, a sua saúde finalmente começou a melhorar. Certa noite, Scott veio para casa depois de uma viagem de negócios e disse: "Uau! Austin parece uma criança completamente diferente!" Além disso, o pagamento de Scott começou a aumentar gradualmente conforme a economia se recuperava e o seu negócio melhorava.

Quando Austin estava com 16 meses, ele dormiu a noite toda pela primeira vez. Aleluia!

Agora posso dizer que sou agradecida pelos dois anos problemáticos que enfrentamos. Aprendi que Deus é fiel em responder quando somos persistentes em orar a ele. O Senhor respondeu a todas as nossas orações. Ele curou Austin, ajudou Andrew e proveu para todas as necessidades da nossa família. Além disso, ele me deu a força para aguentar esses anos de desafio, mesmo quando me senti empurrada para além do meu ponto de ruptura.

Desde essa época, descobri um novo nível de confiança, paz, alegria e gratidão na minha vida. Quando me lembro das maneiras milagrosas por meio das quais Deus nos ajudou durante essa época, o meu coração se inunda de gratidão. Mais que tudo, sinto uma fé renovada no meu precioso Senhor. Ele é o nosso provedor e curador!

Quando perguntei a Kim o que tinha aprendido com a sua experiência, ela disse: "Não tema os tempos difíceis. Aproveite-os e diga: 'Obrigada Senhor, por me considerar digna de aprender mais sobre o Senhor por intermédio das situações desesperadoras.' Continue a ir à igreja e a servi-lo da melhor maneira possível. E certifique-se de memorizar os versículos bíblicos de antemão; assim, pode se agarrar a eles durante os dias difíceis."

Na seção intitulada "A espada do Espírito", no fim deste capítulo, incluí diversas das passagens que Kim orou durante a sua jornada. Guarde-as no seu coração; elas servirão como encorajamento para tentar ser mais persistente e perseverante na sua própria vida de oração.

Oração de hoje

Deus, obrigada por ser o meu criador, o meu provedor e o meu amigo. Ensina-me a perseverar em ser persistente na oração. Obrigada por me ouvir e ser fiel em responder no seu tempo perfeito. Obrigada por amar os meus filhos e me dar, a cada dia, a compaixão, a sabedoria e a paciência de que preciso para cuidar deles.

Ajude-me a ser fiel em orar diariamente por meus filhos. Obrigada pelo fato de o Senhor já conhecer cada uma das necessidades deles antes mesmo de pedirmos. Peço que o Senhor proveja para nós hoje nas seguintes situações. Venho ao Senhor com "audácia sem acanhamento", sabendo que o Senhor ama os meus filhos e quer que eles o amem e o sigam.

Obrigada pela sua compaixão em relação a mim e por não permitir que eu e os meus filhos enfrentemos todas as consequências pelos nossos pecados. E obrigada por responder às minhas orações quando o abordo pela fé. Toda dádiva boa e perfeita é do Senhor. O Senhor se deleita em conceder boas dádivas para os seus filhos. Ajude-me a refletir hoje a sua natureza boa, misericordiosa e generosa para os meus filhos e para todos à minha volta.

Deus, obrigada por me dar o coração de mãe, um coração que anseia abençoar e proteger os meus filhos. Obrigada por amá-los ainda mais que eu e por ter um plano para eles que vai além dos meus sonhos mais extravagantes.

Continue a me conceder todos os dias um amor profundo por meus filhos e pelo Senhor. Ajude-me a buscar primeiro o Senhor em tudo, Deus. O Senhor promete que, quando faço isso, todas as outras coisas serão acrescentadas à minha vida. O Senhor é fiel em responder quando vimos diante do seu trono com persistência e fé. Concede-me a paciência de esperar pelo seu tempo mesmo quando quero ver os resultados das minhas orações no mesmo instante.

Às vezes, como Kimberly, eu não sei o que orar e como orar por alguma coisa, mas o Senhor conhece os desejos do meu coração. Dê-me a sabedoria nas seguintes situações inquietantes, Pai. Deixo-as no altar hoje. Agradeço ao Senhor por me ouvir e por ter compaixão dos meus filhos. O Senhor é o bom Pastor, guiando a mim e aos meus filhos gentilmente ao lado de águas calmas. Obrigada por ter compaixão de mim e dos meus filhos. Obrigada por recompensar a minha persistência. Em nome de Jesus, amém.

A espada do Espírito

"'Porque sou eu que conheço os planos que tenho para vocês', diz o SENHOR, 'planos de fazê-los prosperar e não de lhes causar dano, planos de dar-lhes esperança e um futuro. Então vocês clamarão a mim, virão orar a mim, e eu os ouvirei. Vocês me procurarão e me acharão quando me procurarem de todo o coração'" (Jeremias 29:11-13).

"Vocês precisam perseverar, de modo que, quando tiverem feito a vontade de Deus, recebam o que ele prometeu" (Hebreus 10:36).

"Peçam, e lhes será dado; busquem, e encontrarão; batam, e a porta lhes será aberta. Pois todo o que pede, recebe; o que busca, encontra; e àquele que bate, a porta será aberta" (Mateus 7:7-8).

"E a perseverança deve ter ação completa, a fim de que vocês sejam maduros e íntegros, sem lhes faltar coisa alguma" (Tiago 1:4).

"Como um pai tem compaixão de seus filhos, assim o SENHOR tem compaixão dos que o temem; pois ele sabe do que somos formados; lembra-se de que somos pó" (Salmos 103:13-14).

"Não que eu já tenha obtido tudo isso ou tenha sido aperfeiçoado, mas prossigo para alcançá-lo, pois para isso também fui alcançado por Cristo Jesus" (Filipenses 3:12).

Perguntas para a discussão em um pequeno grupo

1. O que você acha mais surpreendente sobre a parábola do amigo persistente? O que aprendeu sobre a natureza de Deus? Como essa verdade transforma as suas orações pelos seus filhos, pelo seu marido e pelos outros membros da sua família?
2. No seu grupo, discuta uma ocasião em que você foi persistente na oração e viu Deus chegar com uma resposta maravilhosa. Como você mudou ao longo desse processo? O que aprendeu sobre Deus a partir desse período de espera e oração?
3. Você tem atualmente a "audácia sem acanhamento" para levar os seus pedidos com confiança diante de Deus? Se esse não for o caso, o que a impede de fazer isso? Que mudanças você acha que precisa fazer na sua atitude, na sua visão de Deus e na sua vida de oração para ser mais fiel e persistente?
4. Como a história de Kimberly a impactou? Você ou uma amiga passaram por uma situação semelhante à de Kim? Se esse for o caso, o que aprendeu sobre Deus e sobre você mesma durante esse período?
5. Quão persistente você é na oração pelos seus filhos? Em que ocasiões e em que situações você tende a orar mais pelos seus filhos? E menos?
6. Que hábitos você pode implementar para se tornar mais persistente na oração? Esses hábitos podem incluir estabelecer um tempo de quietude mais consistente, de manhã ou de tarde; manter um caderno ou um diário de orações; escrever sempre no seu diário da gratidão; memorizar mais versículos bíblicos; começar a fazer caminhadas de oração, sozinha ou com uma amiga; orar as Escrituras com mais frequência; começar um grupo de oração na sua igreja; orar com os seus filhos todas as noites ao pô-los na cama; e/ou orar diariamente com o seu marido. Faça dupla com uma parceira do seu grupo e prestem contas uma à outra na implementação desses passos.

Capítulo 9

Jejue pelo avanço espiritual

O jejum tem grande poder. Se praticado com a intenção correta transforma o indivíduo em amigo de Deus.

Tertuliano[39]

GOSTO DA COCA-COLA NORMAL, POIS, para mim, não há nada como a coisa original — embora saiba que não há nada de saudável nessa doce e saborosa mistura de água gaseificada com xarope de milho rico em frutose. Juro que o meu carro tem um radar que me leva direto para o McDonald's mais próximo, onde posso conseguir uma Coca-Cola a qualquer hora do dia ou da noite.

A maioria de nós voa em direção aos nossos alimentos favoritos como mariposas em volta da luz. Talvez a sua fraqueza seja bolo de chocolate, sorvete ou barra de chocolate. Talvez seja pão, massa ou batata. David e eu assistimos recentemente a um documentário em que uma mulher comia dúzias de caixas de picolé todos os dias. Depois de assistir a isso, nunca mais quis tomar picolé.

Está bem, talvez *nunca* seja um exagero. Contudo, é triste dizer que a nossa cultura é tão obcecada por comida que a prática do jejum nos é estranha.

Devemos ter em mente que o jejum é uma prática espiritual, não se tratando só do alimento. O jejum nos ajuda a controlar o nosso desejo por comida, mas o objetivo é nos ajudar a desenvolver um relacionamento de oração mais claro e mais focado com o Senhor. O jejum

[39] TERTULLIAN, Quintus. http://www.fasting.com/fastingquotes.html.

combinado com a oração oferece benefícios espirituais incríveis, além de ser útil para acabar com o vício que temos em açúcar, em gordura, em carboidrato e em aromatizantes sem nutrientes das lanchonetes e restaurantes.

Um equívoco comum em relação ao jejum é achar que a sua disciplina espiritual corresponde ao alimento em si. O jejum não é uma "dieta" nem uma "limpeza" feita simplesmente para o benefício físico. Não é uma "moda espiritual". Não é algo que só os "cristãos carismáticos" ou os "fanáticos espirituais" praticam. De acordo com a Bíblia, Jesus esperava que *todos* os cristãos jejuassem. O jejum é uma poderosa ferramenta que devemos manejar com muita fé. Mostrarei como!

O meu marido vem de um contexto cristão muito conservador de religiosos da Romênia. Ali, os cristãos jejuavam e oravam com frequência. Diversas vezes, quando adoecia ou me estressava durante o nosso noivado, o meu marido e a família dele jejuaram e oraram por mim. Senti-me abençoada e especial quando soube que David estava sacrificando o seu próprio alimento e conforto para interceder por mim. Ele ainda jejua aos domingos como parte da sua adoração ao Senhor.

O jejum bíblico é simplesmente uma decisão de se abster de alimento por determinado período de tempo para um propósito espiritual. Podemos, como Mães Guerreiras de Oração, jejuar para renovar a intimidade espiritual com Deus, buscar sabedoria em relação a uma importante decisão para os nossos filhos, pedir por cura e restauração dos nossos filhos, conseguir outro tipo de avanço espiritual ou obter uma resposta de Deus.

Tendemos a ver o jejum como uma opção, mas Jesus não o vê assim. Ele disse: "Quando jejuarem, não mostrem uma aparência triste como os hipócritas, pois eles mudam a aparência do rosto a fim de que os outros vejam que eles estão jejuando. Eu lhes digo verdadeiramente que eles já receberam sua plena recompensa. Ao jejuar, ponha óleo sobre a cabeça e lave o rosto, para que não pareça aos outros que você está jejuando, mas apenas a seu Pai, que vê em secreto. E seu Pai, que vê em secreto, o recompensará" (Mateus 6:16-18).

Jesus presumiu que jejuaríamos como uma das três principais disciplinas da vida cristã esboçadas em Mateus 6: doar, orar e jejuar. Ele afirmou: "*Quando* você der esmola. [...] *Quando* vocês orarem [...]

Quando jejuarem" (Mateus 6:2,5,16; grifo da autora). Ele nos ensinou a nos engajar nessas disciplinas por amor a Deus e aos outros, sem alardes. O nosso objetivo é agradar a Deus, não atrair a atenção dos outros.

Deus recompensa a atitude do seu coração quando você jejua, não o fato de se abster da Coca-Cola, da massa ou do bolo de chocolate (ou do seu alimento preferido). Ele reconhece a sua abstinência, mas não é algo "mágico" assim: "Se abrir mão do chocolate em favor da lentilha, Deus automaticamente me dá tudo o que quero." O jejum não só encoraja os resultados espirituais, mas também se torna um bonito gesto de humildade, submissão e amor pelo Senhor.

Descobri que o jejum pode ser uma experiência edificante, recompensadora e divertida quando uso esse tempo para investir no meu relacionamento com Deus. O jejum tranquiliza o meu coração e cristaliza a voz de Deus no meu espírito para que a vontade dele fique evidente.

De início, a ideia de jejuar pode ser intimidante e até mesmo assustadora, mas não é difícil jejuar, e você descobre que o progresso espiritual vale bem o esforço. Além disso, o seu corpo e a sua alma ficam mais leves, mais livres, mais saudáveis e mais "sintonizados" na voz do Espírito Santo. O jejum elimina o anseio pelos alimentos prejudiciais à saúde e redefine o paladar, de modo que você aprecia mais os alimentos naturais. O jejum também treina de novo o seu corpo e o seu cérebro para se satisfazerem com porções menores.

Jentezen Franklin explica um dos maiores benefícios do jejum: "O seu espírito fica livre das coisas deste mundo e extremamente sensível às coisas de Deus. [...] O jejum é uma fonte secreta de poder que muitos negligenciam."[40]

Elmer Towns escreve: "Ouvir a Deus é uma das melhores coisas que pode lhe acontecer durante um jejum. Você para de ouvir o seu corpo e de alimentar os desejos dele de modo que a sua alma se acalma. A seguir, consegue ouvir apenas Deus. [...] Ouvir Deus falar com você é diferente de ouvir o noticiário das seis horas. Deus, ao contrário da televisão, não fala se o coração não estiver ouvindo."[41]

---

[40] FRANKLIN, Jentezen. *Fasting*. Lake Mary, FL: Charisma House, 2008, p. 10.

[41] TOWNS, Elmer. *The Beginner's Guide to Fasting*. Ventura, CA: Regal Books, 2001, p. 109, 112.

Recomendo que você comece devagar e apenas com um jejum de curto prazo. Sempre vá ao médico antes de começar qualquer tipo de jejum, em especial se você tiver problemas de saúde. *Não* recomendo nenhum tipo de jejum para grávidas ou mães que estão amamentando. Estas precisam de alimentação muito calórica, mais líquidos e um equilíbrio apropriado entre carboidratos, gordura e proteínas a fim de fortalecer o leite materno.

A Bíblia descreve três tipos básicos de jejum:

- **Jejum só de líquidos:** Só tomar líquidos. Alguns escolhem eliminar determinados líquidos, como café, chá e refrigerante. Já soube de pessoas que tomam apenas água; outros também tomam suco e caldo durante os jejuns de líquido. Outros ainda incluem sopa, *shakes* de proteína, suco de frutas e vegetais ou vitaminas. Não há regra para isso.
- **Jejum parcial:** Só beber líquidos e comer alguns alimentos. Você pode decidir eliminar os alimentos industrializados e de *fast food*. Ou pode escolher comer só alimentos orgânicos. Siga a orientação do Espírito Santo.
- **Jejum absoluto:** Esse tipo de jejum proíbe todo alimento e bebida (até água) por um período de tempo (em geral não mais que 24 horas, em alguns casos até três dias). O corpo humano se desidrata com muita rapidez; portanto, não recomendo esse tipo de jejum a não ser que siga as recomendações de um médico e seja supervisionado.

Você pode escolher jejuar por qualquer período de tempo que julgue útil. A Bíblia contém exemplos de jejuns de várias durações para diferentes ocasiões.

Extensão do jejum	Pessoas envolvidas no jejum	Referência bíblica
Jejum de meio dia (12 horas) ou o dia todo (24 horas)	Moisés, Jesus e os discípulos, Daniel, Ester, Davi, Ana, o povo judeu (durante as festas e festivais), Paulo, os profetas e a maioria dos principais personagens bíblicos.	Deuteronômio 9:9; Esdras 10:6; Ester 4:16; Jeremias 36:6 e outras
Jejum de três dias	Jesus, Daniel, Jonas, Paulo, Silas, Barnabé, Cornélio e outros seguidores de Cristo.	Atos 9:9; Atos 10:30
Jejum de sete dias	Samuel e o povo israelita depois da morte de Saul e dos seus filhos.	1Samuel 31:13
Jejum de 14 dias	Paulo e outros prisioneiros que estavam no naufrágio.	Atos 27:33
Jejum de 21 dias (um jejum "Daniel"; veja o livro *O jejum de Daniel*,[42] de Susan Gregory)	Daniel.	Daniel 1:16; 10:3
Jejum de trinta dias (um mês)	Os israelitas jejuaram durante trinta dias lamentando a morte de Arão e a de Moisés.	Números 20:29; Deuteronômio 34:8; Mateus 4:2
Jejum de quarenta dias	Jesus.	Mateus 4:2

Pessoalmente não me senti guiada pelo Senhor a jejuar por mais que três dias de cada vez. Talvez jejuarei por períodos mais longos quando não tiver mais filhos pequenos em casa. Acredito que Deus nos chama a equilibrar o nosso compromisso de jejuar com sabedoria quanto à quantidade de alimento e à energia de que precisamos para manter os nossos compromissos com o nosso marido, com os nossos filhos e com os nossos ministérios. Um jejum ordenado por Deus aumenta a nossa saúde e bem-estar, não a põe em risco. A preparação e a diminuição gradual da ingestão de alimento são necessárias para

[42] GREGORY, Susan. *O jejum de Daniel*. Paraná: Atos, 2011.

jejuns longos; por isso, por favor, certifique-se de consultar seu médico antes de fazer um jejum longo.

Um sábio disse: "O jejum do corpo é alimento para a alma."[43] Essa prática é como uma "faxina" para o seu corpo e fornece um surpreendente número de benefícios para a saúde. Desde a época de Hipócrates, muitos dos melhores médicos do mundo elogiam os benefícios dos jejuns controlados, além dos mensuráveis benefícios espirituais. O jejum ajuda a regular os processos do nosso corpo e a eliminar toxinas, sobretudo quando bebemos muita água durante o período de jejum. Quando reduzimos ou eliminamos a ingestão de alimentos, aumentamos proporcionalmente a nossa ingestão de líquidos.

A autora Lisa Nelson enumera os seguintes motivos para jejuar:

1. O jejum nos ajuda a crescer espiritualmente e a derrotar o pecado.
2. O jejum fortalece a nossa intercessão e os nossos pedidos.
3. O jejum nos prepara para a batalha espiritual.
4. O jejum é uma obediência ao chamado de Deus.
5. O jejum é uma resposta a uma crise na nossa vida.[44]

O jejum nos ajuda a eliminar o barulho e a agitação que tumultuam a nossa mente e o nosso corpo. Talvez você queira considerar o jejum como um grupo de outras atividades que podem interferir no seu relacionamento com Deus.

Descobri que a obsessão da nossa cultura por tecnologia pode se tornar tóxica e degradante se permitirmos. (Tendemos a comer muita coisa com descuido também enquanto assistimos a televisão.) A Academia Americana de Pediatria (AAP) recomenda que limitemos o tempo que crianças acima de dois anos passam diante de uma tela a um total de duas horas ou menos por dia (incluindo televisão, computador, videogames etc.). A AAP não recomenda televisão ou outro tipo de tela para crianças com menos de dois anos. Um artigo recente do *New York Times* afirma que, de acordo com a AAP: "o tempo diante da tela não fornece nenhum benefício educacional para crianças com menos de dois anos e deixa menos espaço

[43] CRISÓSTOMO, João. http://www.fasting.com/fastingquotes.html.

[44] NELSON, Lisa. *A Woman's Guide to Fasting*. Minneapolis: Bethany House, 2011, p. 28.

para atividades que fazem isso, como interagir e brincar com outras crianças."[45]

O autor David Kinnaman, em um artigo sobre a geração mosaico (nascidos entre 1984 e 2002), afirmou: "Um estudo recente da Kaiser Family Foundation [Fundação Família Kaiser] mostra que uma pessoa da geração mosaico passa oito horas e meia por dia usando vários tipos de mídia, incluindo a televisão, o rádio, a música, os recursos impressos, o computador, a internet e os videogames. O tempo condensado a essas atividades chega a cerca de seis horas e meia, já que eles, com frequência, usam mais de uma mídia de cada vez (por exemplo, ouvem música quando estão on-line)."[46]

Também li recentemente um artigo sensato na revista *Parenting* [A educação dos filhos] declarando que o tempo dos nossos filhos dedicado à leitura devia ser o *dobro* do tempo que eles passam assistindo à televisão. Quando penso nisso, tento ir além e pegar um livro a fim de ler para eles, em vez de pegar o controle remoto e ficar zapeando na frente da televisão.

É claro que deixo os meus filhos assistirem à televisão. Tentamos limitar o tempo diante da tela a programas e vídeos educativos, mas se abster de assistir à televisão certamente faria bem à minha família. E quanto à sua?

Antes de tudo, por que inventaram a televisão? Foi realmente para entretenimento? Foi para a educação das crianças? Foi inventada para que um dia pudéssemos assistir *American Idol, The Bachelor* ou o noticiário? De jeito nenhum. Lembro-me de que quando estudava na Universidade Purdue fiquei chocada ao descobrir que a televisão foi inventada para as *propagandas*.

É isso mesmo. Nunca se pergunta por que empresas como a Honda, a Chrysler, a Pepsi e a Guinness gastam 20 milhões de dólares em um *único* anúncio de televisão? Porque a propaganda funciona. Na década de 1930, a verba destinada às propagandas foi reduzida, pois muitos norte-americanos deixaram de ouvir rádio. Por isso, a Corporação de Rádio da América (RCA) comprou uma licença do inventor

[45] CAREY, Benedict. "Parents Urged Again to Limit TV for Youngest". *New York Times*, 18 out. 2011.

[46] KINNAMAN, David. "The Mosaic Generation: The Mystifying New World of Youth Culture". *Enrichment Journal*. Disponível em: http://enrichmentjournal.ag.org/200604/200604_028_MosaicGen.cfm.

Philo Farnsworth, em 1939, para começar a desenvolver o sistema de televisão inventado por ele como um novo meio de propaganda.

O jejum de televisão e de propaganda pode nos fazer algum bem, não é mesmo? Na verdade, por que não fazer uma lista dos três maiores "drenadores de tempo" para você e se abster de todos eles durante uma semana? Você ficará espantada com a diferença positiva que isso fará na sua vida de oração, no seu casamento e no relacionamento com os seus filhos. Eis alguns outros motivos para combinarmos jejum (tanto físico quanto outro) com as nossas orações:

- Foi ensinado por Jesus.
- Foi modelado por Jesus e pelos primeiros crentes.
- Amplia a nossa oração e põe o nosso corpo e a nossa mente em concordância com Deus.
- Permite desenvolver maturidade espiritual e controle próprio.
- A Bíblia diz que Deus só responderá a determinadas orações se tivermos jejuado e orado com toda fé (Mateus 17:19-21; Marcos 9:29).
- Mostra que somos sérias acerca do nosso relacionamento amoroso com Deus.

Jesus relacionou o jejum à nossa oportunidade de "armazenar" tesouros para nós mesmas no céu. Ele disse: "Não acumulem para vocês tesouros na terra, onde a traça e a ferrugem destroem, e onde os ladrões arrombam e furtam. Mas acumulem para vocês tesouros nos céus, onde a traça e a ferrugem não destroem, e onde os ladrões não arrombam nem furtam. Pois onde estiver o seu tesouro, aí também estará o seu coração" (Mateus 6:19-21).

Digamos que você precisa de um avanço crucial hoje em alguma área da sua vida. Talvez o seu filho pródigo tenha se afastado do Senhor. Talvez você enfrente um câncer de mama ou outra doença. Talvez o seu marido tenha sido despedido e não conseguiu encontrar outro emprego, ou talvez o seu cônjuge tenha escolhido abandonar você. Talvez uma amiga a tenha traído, ou você teve uma experiência dolorosa no ministério.

Jesus enfatizou que pode ser necessário um período imenso de jejum e oração antes de Deus começar a executar um avanço pessoal nessas áreas. Por exemplo, os discípulos de Jesus uma vez vieram a ele perturbados porque tinham tentado em vão expulsar um demônio de alguém. Eles lhe perguntaram: "'Por que não conseguimos expulsá-lo?' Ele respondeu: 'Porque a fé que vocês têm é pequena. Eu lhes asseguro que se vocês tiverem fé do tamanho de um grão de mostarda, poderão dizer a este monte: 'Vá daqui para lá', e ele irá. Nada lhes será impossível. *Mas esta espécie só sai pela oração e pelo jejum*" (Mateus 17:19-21; grifo da autora).

Minhas amadas amigas, saibam que *mover montanhas exige muito poder*. Você e eu temos de nos esforçar muito para ver Deus mover montanhas. Temos de orar e jejuar até o nosso espírito entrar em total concordância com o Espírito Santo de Deus. Então Deus de repente tira essas montanhas do nosso caminho. Ele derruba as barreiras e tira os obstáculos da vida dos nossos filhos. Ore para ele aplainar os lugares acidentados para você e para os seus filhos (Isaías 40:4; Lucas 3:5).

Se tiver problemas no seu casamento que estejam afetando negativamente você e aos seus filhos, considere o que Paulo escreveu: "Não se recusem um ao outro, exceto por mútuo consentimento e durante certo tempo, *para se dedicarem à oração*. Depois, unam-se de novo, para que Satanás não os tente por não terem domínio próprio" (1Coríntios 7:5; grifo da autora). Use o jejum e a oração para recriar uma atmosfera doce e revigorante na sua casa e no seu casamento. Ore com o seu marido, se possível, pedindo ao Senhor para restaurar a união do seu casamento e curá-lo.

Quando você e os seus filhos tiverem decisões importantes a tomar, em especial se forem de natureza espiritual, aplique os princípios da oração e do jejum. A Bíblia traz exemplos de muitas mulheres piedosas — como Ester; Ana, a mãe de Samuel; e Ana, a profetisa do templo que reconheceu o Messias quando Jesus foi cumprir o ritual da circuncisão — que jejuaram e viram extraordinários progressos na sua vida como resultado da sua submissão a Deus.

Minha oração por você hoje é que seu nome seja acrescentado à lista das Mães Guerreiras de Oração que viram Deus mover montanhas e fazer milagres na vida dos seus filhos por meio do poder combinado da oração e do jejum.

Oração de hoje

Querido Pai celestial, obrigada por nos oferecer o privilégio de jejuar para aprofundar a nossa comunhão com o Senhor. Por favor, deixe-me reconhecer hoje o seu chamando a jejuar. Estou preocupada com as questões em relação a meus filhos. Acredito que por meio da oração e do jejum obterei a sua sabedoria sobre como lidar melhor com essas questões. Senhor, ajude-me a jejuar com fé enquanto oro para que todo filho pródigo volte para casa, para o Senhor buscar e salvar todo filho perdido, abençoar os meus filhos em todas as áreas e amarrar Satanás e o manter afastado dos meus filhos. Use o jejum e a oração para me capacitar a batalhar na terra enquanto os santos anjos batalham contra os poderes e os principados das trevas.

Abençoe os meus filhos. Conceda-lhes bem-estar físico, emocional e espiritual. Ajude-me a ser um bom exemplo para eles e a tratar o meu corpo como o seu "templo". Afaste deles os distúrbios alimentares ou estéticos. Ajude a mim e aos meus filhos a buscá-lo como a nossa porção, o "alimento" de que precisamos ainda mais que o alimento físico. Capacite-me a ouvir a sua voz e ter segurança quanto à sua vontade por meio do jejum. Intensifique as minhas orações pelos meus filhos. Ajude-me a emergir do outro lado como uma Mãe Guerreira de Oração mais vitoriosa e uma filha mais forte do Rei. Em nome de Jesus, amém.

A espada do Espírito

"Não me afastei dos mandamentos dos seus lábios; dei mais valor às palavras de sua boca, do que ao meu pão de cada dia" (Jó 23:12).

"Portanto, irmãos, rogo-lhes pelas misericórdias de Deus que se ofereçam em sacrifício vivo, santo e agradável a Deus; este é o culto racional de vocês" (Romanos 12:1).

"Provem, e vejam como o SENHOR é bom. Como é feliz o homem que nele se refugia!" (Salmos 34:8).

"Se o meu povo, que se chama pelo meu nome, se humilhar e orar, buscar a minha face e se afastar dos seus maus caminhos, dos céus o ouvirei, perdoarei o seu pecado e curarei a sua terra" (2Crônicas 7:14).

Perguntas para a discussão em um pequeno grupo

1. Quando ouve a palavra *jejum*, o que lhe vem à mente? Que experiências e estereótipos passados você tem em relação à prática do jejum? O que aprendeu sobre jejum (se é que aprendeu alguma coisa) nas igrejas que frequentou? Qual era a posição da sua família quanto ao jejum quando você era jovem?
2. Se tivesse de começar a jejuar, que tipo de jejum (e com que duração) escolheria? Por quê?
3. Quais dos seus pedidos de oração e preocupações com os seus filhos acha que Deus pode resolver enquanto você pratica jejum e ora ardorosamente?
4. Os seus filhos estão enfrentando algum problema persistente, como relacionamentos destrutivos, vícios, compulsões, distúrbios alimentares, problemas com estética, espírito rebelde, atitude de desrespeito ou outra questão com a qual você precisa lidar por meio de um período mais longo de jejum e oração? Enumere os problemas mais críticos. Você estaria disposta a jejuar por 24 horas e a ouvir o que Deus tem a lhe dizer durante esse tempo? Quando você começaria? Registre o resultado no seu diário de oração.

Capítulo 10

Cuide de seus filhos com liberdade

Uma coisa é mostrar para o seu filho o caminho, e a coisa mais difícil é depois sair da frente.

Robert Brault[47]

A MATERNIDADE EXIGE QUE DEIXEMOS os nossos filhos seguirem o próprio caminho — e esse é um processo doloroso. O seu filho olha ansiosamente para você à procura de segurança ao chegar para a primeira aula no jardim de infância, carregando sua lancheira do Batman. Então, em um piscar de olhos, ele caminha cheio de pompa pelo palco para receber o diploma do ensino médio. Ou a sua filha põe o vestido do baile de formatura da década de 1990, tropeça com o sapato de salto alto de cetim azul-petróleo, e a próxima coisa de que você se dá conta é do pai conduzindo-a ao altar da igreja. O que aconteceu com todos aqueles anos de intervalo entre os dois eventos?

O processo de deixar os filhos seguirem o próprio caminho não acontece de forma branda — temos de liberá-los aos poucos, e isso é difícil. A cada estágio o nosso coração leva um golpe, quando somos forçadas a admitir que nossos bebês estão crescendo e se tornando menos dependentes de nós.

Nosso desafio, como Mães Guerreiras de Oração, está em uma palavra: *confiar.* Em vez de nos precipitarmos como "mães helicópteros" para salvar os nossos filhos de situações difíceis, temos de ceder e confiá-los ao plano perfeito do nosso Pai celestial. Isso nos livra da

---

[47] BRAULT, Robert. http://www.goodreads.com/quotes/show/486386.

tendência manipuladora, além de abrir espaço para que o Espírito Santo apazigue e conforte o nosso espírito ansioso com a paz curadora de Deus.

A palavra *confiar* significa "pôr (algo, alguém ou a si próprio) sob os cuidados de pessoa, instituição etc., em quem se tenha confiança".[48] A raiz da palavra *confiar* é *confidere*, que significa *pôr confiança em* [algo ou alguém]. Só podemos confiar uma pessoa ou coisa aos cuidados de alguém em quem temos plena *confiança*. Por exemplo, quando Jesus estava sofrendo na cruz, ele clamou em voz alta: "Pai, nas tuas mãos *entrego* o meu espírito" (Lucas 23:46; grifo da autora). Ele é o nosso exemplo de confiança perfeita.

O apóstolo Paulo também usou diversas vezes a palavra *confiar* em suas epístolas para Timóteo, seu filho espiritual na fé. Paulo escreveu:

> "Porque sei em quem tenho crido e estou bem certo de que ele é poderoso para guardar o meu depósito até aquele dia" (2Timóteo 1:12).
>
> "Quanto ao bom depósito, guarde-o por meio do Espírito Santo que habita em nós" (2Timóteo 1:14).

Outro termo importante que aparece em cada um desses versículos é *guardar*. Confiamos os nossos filhos ao Senhor, mas também fomos encarregadas da tarefa espiritual de guardá-los enquanto estão sob o nosso cuidado.

A minha amiga Monique e o marido dela, Chris, modelam uma fé corajosa ao lidarem com a severa doença de dois dos seus três filhos. Monique conta:

> O meu marido e eu fomos convidados a esperar no consultório do médico; tínhamos, portanto, um pressentimento sinistro de que algo estava errado. Fiquei confusa enquanto observávamos a nossa filha, Allison, de quatro anos, brincar no chão. Sentamo-nos ali entorpecidos à espera do diagnóstico dela.
>
> Por fim, o médico entrou na sala e deu lentamente uma notícia assustadora:
>
> — Sinto muito. Allison tem fibrose cística.

[48] *Dicionário eletrônico Houaiss da língua portuguesa 1.0.*

Assentimos com a cabeça como se tivéssemos entendido tudo o que isso representava. Claro que não sabíamos, mas podíamos sentir que nunca mais seria como antes. Allison foi internada no hospital para fazer exames. O médico me informou gentilmente sobre a curta expectativa de vida dela. Confesso que aquilo me magoou muito, pois percebi quanto de minhas esperanças e sonhos para a minha única menininha nunca se realizaria.

Os médicos de Allison nos encheram de informações. Precisávamos de tempo para lamentar, mas de alguma maneira, no meio dessa tempestade, esperava-se que prestássemos atenção, compreendêssemos e praticássemos tudo o que a equipe médica estava nos dizendo.

Então, bem quando achávamos que a vida não pioraria, o médico veio com mais notícias ruins.

Nosso segundo filho, Adam, também tinha fibrose cística.

Inimaginável. O nosso filho também? Duas vidas cortadas e arrebatadas pela doença? A dor nos dilacerava por dentro. Como aguentar isso? A primeira tempestade não tinha sido ruim o bastante?

Após ouvirmos o diagnóstico de Adam, olhei para o chão de azulejo branco e senti um ímpeto de me atirar nele e bater a cabeça repetidas vezes naquele piso frio até tudo isso parar. Para sempre.

Salmos 73:21-22 transmite perfeitamente como me senti naquele momento: "Quando o meu coração estava amargurado e no íntimo eu sentia inveja, agi como insensato e ignorante; minha atitude para contigo era a de um animal irracional."

Só naquele momento ouvi claramente Deus dizer: "Só eu posso fazer isso." O versículo 23 de Salmos 73 diz: "Contudo, sempre estou contigo; tomas a minha mão direita e me susténs." Sabia que a única maneira de aguentar esse sofrimento seria segurando a mão de Deus ao longo disso tudo. E, quando não tivesse mais força para me segurar a ele, o Senhor me carregaria.

Durante a tempestade da doença dos nossos filhos, Deus me concedeu uma imagem especial que eu revia com frequência na minha mente. Na cena, essa tempestade ainda está furiosa, e Cristo anda com dificuldade através dela — de cabeça baixa, encolhendo-se da chuva cortante, assolado pelo vento. Meu marido, Chris, está bem atrás dele, sentindo quase a mesma fúria da tempestade, mas segurando o manto de Cristo. Estou atrás de Chris segurando firme nele. Estou protegida atrás do meu forte líder e seu Senhor. Atrás de mim está o meu filho mais velho, Anson. Ele, segurando minha mão, está preocupado, mas, ao ver que a mãe e o pai confiam no seu Salvador, ele faz o mesmo.

Atrás de Anson está o nosso segundo filho, Adam. Ele segura a mão do irmão e olha para trás dele, rindo das travessuras de Allison. O seu outro braço está esticado segurando a mãozinha dela. Ela preferiria largar a mão do irmão a fim de estender a mão para pegar uma bela flor à luz do sol. Eles não sabem *nada* a respeito da tempestade.

Quando trago essa imagem à mente, sei que Cristo está nos guiando. Ele tem poder até mesmo sobre a tempestade.

A passagem bíblica a que me agarro ao longo dessa jornada é Salmos 73:28: "Mas, para mim, bom é estar perto de Deus; fiz do Soberano SENHOR o meu refúgio; proclamarei todos os teus feitos." Deus tem sido verdadeiramente minha rocha e meu refúgio durante a tempestade.

Não tem sido uma jornada fácil. Enfrentamos muitos desafios. Os meses seguintes ao diagnóstico de Allison e Adam foram um período muito tenebroso para mim.

Mas Deus... esse é o começo de todas as minhas respostas. Mas Deus também *nunca* me deixou escorregar para longe dele, *nunca* deixou de me pegar, *nunca* falhou em me confortar por intermédio do seu povo e principalmente do meu "verdadeiro locutor" — meu fiel marido, Chris. O Senhor, como prometeu, estava ali, segurando a minha mão ao longo de tudo isso.

Quando Adam e Allison foram diagnosticados com a doença, alguns amigos e membros da família bem-intencionados me disseram:

— Uau, que belo testemunho os seus filhos terão quando Deus os curar!

Assenti com a cabeça e sorri, mas sabia que até isso acontecer teríamos três seções de tratamento diárias, o exame do peito que tínhamos nós mesmos de fazer três vezes ao dia, as visitas ao médico, idas frequentes ao hospital e, para mim, as ondas de depressão que vinham e iam. Precisávamos da cura *agora*!

Entendo hoje que a cura pode ser tanto instantânea quanto contínua. Digo aos meus filhos que eles chegarão aos 65 anos (pelo menos!), e que seria ótimo se tivessem isso em mente! Eles sorriem e gargalham, e seguimos com a nossa vida.

Deus me mostrou que, de certa maneira, *estávamos* curados. Por causa da graça de Deus, a morte não pôs o seu grilhão na nossa família. Nossos filhos *vivem* com fibrose cística, mas não estão morrendo! E agora que a fé é mesmo deles, eles também têm essa paz.

Sabemos que mais provações virão. Oramos para que elas ajudem a nossa fé a aumentar e a amadurecer e, acima de tudo, que tragam glória para Deus.

Os três filhos de Monique, como registrado, estão vivos e bem, servindo ao Senhor. Allison tem 23 anos e se formou em história. Adam tem 25 anos e se casou com uma linda jovem chamada Kensie. Ele é diretor de juventude da escola de ensino médio da igreja dos meus pais e também faz cursos de estudos bíblicos on-line através da Universidade Liberty. Anson, o filho mais velho do casal (que não tem fibrose cística), serve como sargento dos Fuzileiros Navais dos Estados Unidos. Ele e a esposa, Rachel, têm três filhos.

A história de Monique nos lembra do tesouro transitório que nos foi dado — a vida nessa terra com os nossos filhos. Não temos posse deles. Não possuímos nada; portanto, temos de manter todas as coisas livres. Tudo o que podemos tomar como nosso é o relacionamento pessoal e salvador com Deus por intermédio de Jesus Cristo. Nosso investimento é na eternidade, não aqui.

O autor Randy Alcorn escreveu: "John D. Rockefeller foi um dos homens mais ricos que já viveu. Depois da sua morte, alguém perguntou ao seu contador: 'Quanto dinheiro John deixou?' O contador replicou: 'Tudo o que tinha.'"[49]

Salmos 127:3 proclama que os "os filhos são herança do SENHOR, uma recompensa que ele dá". Temos o privilégio de amar os nossos filhos e de desfrutar da companhia deles, mas nosso papel como Mães Guerreiras de Oração é consagrá-los de volta a Deus.

Encontramos um bonito exemplo desse tipo de entrega na história bíblica de Ana e Samuel. Ana era uma das duas esposas de Elcana, e, incapaz de ter filhos, aguentava as cruéis provocações de Penina, a outra esposa de Elcana, com quem ele teve vários filhos.

---

[49] ALCORN, Randy. *The Treasure Principle: Unlocking the Secret of Joyful Giving*. Colorado Springs: Multnomah, 2001, p. 17-18.

Certo ano, ela, em sua peregrinação anual ao templo, fez um juramento a Deus:

> "Ó SENHOR dos Exércitos, se tu deres atenção à humilhação de tua serva, [...] mas lhe deres um filho, então eu o dedicarei ao SENHOR por todos os dias de sua vida, e o seu cabelo e a sua barba nunca serão cortados.
>
> Eli observava sua boca [de Ana]. Como Ana orava silenciosamente, seus lábios se mexiam mas não se ouvia sua voz. Então Eli pensou que ela estivesse embriagada. [...] Ana respondeu: "Não se trata disso, meu senhor. Sou uma mulher muito angustiada. Não bebi vinho nem bebida fermentada; eu estava derramando minha alma diante do Senhor" (1Samuel 1:11,15-16).

Então Eli abençoou Ana, dizendo: "Vá em paz, e que o Deus de Israel lhe conceda o que você pediu" (1Samuel 1:17).

As Escrituras dizem que Deus "se lembrou dela", e Ana concebeu e teve um filho. Ela lhe deu o nome de Samuel, cujo sentido é "pedido do Senhor". Finalmente, Deus concedeu o mais profundo desejo do coração de Ana: um filho.

Então o que Ana fez? Imediatamente consagrou Samuel a Deus. Quando o seu menininho tinha apenas alguns anos, ela o levou a Jerusalém para que ele vivesse e servisse permanentemente no templo. Ela cumpriu o seu juramento e confiou o seu tesouro inestimável aos cuidados de Deus como um ato de ação de graças pela dádiva desse filho.

Imagine esperar tantos anos por um filho e depois abrir mão dele? Que sofrimento! Contudo, Ana entendia o princípio espiritual da mordomia. Ela acreditou que Deus tinha um plano extraordinário para Samuel, e este se tornou um grande profeta e sacerdote da história de Israel. Ele também teve o privilégio de ungir Davi como rei.

Você, como Mãe Guerreira de Oração, também pode ter a alegria de ceder os seus filhos aos cuidados do Senhor e ao serviço dele. Eis algumas diretrizes para entregar o seu filho ao Senhor.

1. *Lembre-se de não pôr os seus filhos em primeiro lugar na sua vida.* Nosso Deus nos refinará e jogará no fogo qualquer coisa que escolhermos exaltar e adorar no lugar dele. Acredito que ele nos repreende em

qualquer área em que criamos um ídolo. Isso inclui a área dos nossos filhos. Êxodo 34:14 declara: "Nunca adore nenhum outro deus, porque o SENHOR, cujo nome é Zeloso, é de fato Deus zeloso." Zeloso é um sinônimo de ciumento. Isso significa que Deus é consumido por justa paixão pelo seu nome e pelo seu povo.

2. *Lembre-se de que este mundo não é a sua verdadeira casa.* Esse reino terreno, que às vezes nos parece tão real, é apenas um diáfano véu e uma inconstante sombra quando comparado à sólida rocha da realidade do nosso Deus eterno e do seu Reino. Temos, como Mães Guerreiras de Oração, o raro privilégio de afastar o véu e espreitar no Santo dos Santos para ver a realidade espiritual por trás de toda a fumaça e os modelos da nossa cultura. O único poder verdadeiro que temos nessa terra é o poder da oração. Esse mundo é um lugar temporário de moradia; nossa verdadeira casa está no céu, com Deus. Nossas potentes orações pelos nossos filhos os conecta com a realidade de Deus e com a sua vontade na vida deles.

3. *Entregue diariamente os seus filhos a Deus em oração.* O apóstolo Paulo escreveu em Romanos 12:1: "Portanto, irmãos, rogo-lhes pelas misericórdias de Deus que se ofereçam em sacrifício vivo, santo e agradável a Deus." Também oferecemos, como Mães Guerreiras de Oração, os nossos filhos a Deus como sacrifícios vivos.

Quando estava no oitavo mês de gravidez do meu filho, a minha pressão sanguínea começou a subir, sinalizando o começo de pré-eclampsia. Tive de ser hospitalizada para fazer repouso absoluto. Aquela primeira noite no hospital foi a mais aterrorizante da minha vida. Engrenei em poderosa oração de intercessão pelo meu bebê, temendo pela vida dele — e pela minha. Cheguei àquele ponto decisivo quando me descobri soluçando e fazendo esta oração fervorosa: "Senhor, não me importo com o que aconteça comigo, mas, por favor, salve meu bebê."

Essa oração indica a mudança radical que acontece no coração e no espírito da mãe quando ela chega àquele "ponto de troca" — o limiar em que ela valoriza mais a vida, a saúde e a segurança do seu filho que a dela mesma. Deus chegou a esse ponto quando escolheu sacrificar o seu Filho, Jesus, na cruz, para salvar o restante dos seus filhos amados — nós.

Deus foi fiel ao proteger e salvar o meu doce menino, Evan. No domingo seguinte à chegada de Evan em casa, vindo da UTI, a minha mãe, a minha irmã Colleen e o meu cunhado Daryl vieram visitar a nossa família. Aquela manhã na igreja, entoamos o cântico "Poderoso para salvar". As lágrimas desceram pela minha face quando toda a importância da obra de Deus na minha vida (e na de Evan) me atingiu como as ondas do Pacífico atingem as rochas.

Desde aquela manhã, considero que aquele cântico de adoração é o "cântico de Evan". Imprimi-o e o pendurei na parede do quarto dele como um lembrete de que Deus é verdadeiramente um poderoso salvador. Também guardei uma cópia no livro do bebê de Evan.

Quando a minha amiga Amy Joy ficou grávida do seu quinto filho, ela e o marido, Layne, descobriram que o bebê tinha uma desordem metabólica. O médico de Amy advertiu o casal de que muito provavelmente a menina não aguentaria o período todo de gravidez e que, caso aguentasse, não conseguiria viver fora do ventre.

Para ajudá-los a lidar com a montanha-russa de emoções que experimentavam (alegria e perda, esperança e desespero, expectativa e ansiedade), Amy e Layne resolveram começar um blog intitulado *Feita de forma especial e admirável*. No site, eles começaram a escrever sobre a sua experiência enquanto esperavam o nascimento da sua doce menininha, a quem decidiram dar o nome de Maggie Faith.

Finalmente, na 38ª semana, Amy deu à luz Maggie. Após uma transfusão de sangue e uma miríade de outras medidas médicas, Maggie partiu para junto do Senhor em 16 de março de 2010.

Ela só viveu quatro dias.

Logo depois disso, seus pais escreveram:

> Maggie Faith Olivo, profundamente amada quando tínhamos apenas a promessa dela, carregada com amor por sua mãe durante 38 semanas, agraciou-nos com a sua presença durante quatro belos dias. Depois, ela dançou afetuosamente com o seu pai para os braços do seu Pai celestial.
>
> Nossa pequenina e inestimável pérola nos inspirou maior fé naquele que nos ensinou a amar e nos ama de forma mais extravagante do que podemos imaginar.

Amy e o marido, por intermédio do blog, têm a oportunidade de tocar a vida de milhares de outros pais que perderam um filho. Ela escreveu:

> Ela era tão linda e foi tão especial e admirável [Salmos 139:13-16]! Deus expandiu a minha capacidade de confiar nele nessa área. Lembro-me do dia em que percebi que realmente podia lhe pedir para curá-la. [...] O Deus que servimos é tão grande, realmente inimaginável e se delicia quando oramos lhe pedindo para ser ele mesmo, para ser GRANDE [Salmos 77:13-14]. Essa percepção foi tão essencial quando as descobertas de cada teste traziam notícias piores que as anteriores.
>
> Pedi a Deus algumas coisas bem inacreditáveis sob uma perspectiva humana. Acho que ele se deleitou com o fato de que eu pediria mesmo quando ele me respondeu: "Amada, sinto muito; tenho algo diferente em mente para ela. Mas obrigado por pedir! Obrigado por acreditar que eu *poderia* fazer mesmo quando *não* faço!"[50]

Minha amiga Tammy e eu fomos a um culto de celebração pela vida da pequena Maggie. Imagine a minha surpresa quando entoamos o cântico "Poderoso para salvar"!

Mais uma vez, chorei muito. As palavras do cântico me causaram um conflito de alma, uma profunda dor no meu coração. Poderoso para salvar? Era justo Deus ter respondido às minhas orações e salvado o meu bebê, mas ter escolhido não salvar o bebê da minha amiga?

Senhor, por quê? Clamei em silêncio do mais profundo recesso do meu coração. *Por que o Senhor não salvou também Maggie Faith?*

Eu a salvei.

A força dessas palavras do Senhor quase me fez cair. "*Você salvou?*", perguntei, desfalecendo no meu coração. Tive de refletir sobre isso por um momento.

É fato que às vezes a minha ideia do significado de "salvar" não é a mesma de Deus. Ele, da sua maneira perfeita, salvou Maggie. Ele deu à família dela quatro dias preciosos, que foram mais do que eles jamais esperaram. De acordo com o tempo de Deus, foi o suficiente.

---

[50] JOY, Amy e OLIVO, Layne. *Fearfully and Wonderfully Made* (blog). Usado com permissão.

O salmista Davi elevou este louvor ao Senhor: "Tudo vem de ti, e nós apenas te demos o que vem das tuas mãos" (1Crônicas 29:14). Davi também conheceu a dor de perder um filho. Na verdade, ele perdeu vários filhos. Entendeu que pouquíssimas coisas eram eternas; elas incluíam Deus, a sua Palavra e os nossos filhos. Instilar a Palavra de Deus e os seus princípios doadores de vida nos nossos filhos é um dos legados mais cruciais que podemos lhes dar. Deus declara:

> "Assim também ocorre com a palavra que sai da minha boca: ela não voltará para mim vazia, mas fará o que desejo e atingirá o propósito para o qual a enviei" (Isaías 55:11).

Você é o vaso usado por Deus para transmitir bênçãos para os seus filhos e depois as devolver a ele mais uma vez por intermédio do louvor. Você dá um poderoso testemunho para o mundo quando propositalmente confia os seus filhos ao plano do Pai.

Oração de hoje

Querido Deus, agradeço ao Senhor por ter um plano para os meus filhos, que é muito maior que os meus. Confio-os todos os dias ao seu cuidado amoroso. Ajude-me a estar presente para os meus filhos, mas também a ter a sabedoria de lhes dar espaço para respirar, crescer e florescer. Ajude-me a não controlar ou manipular a vida deles. Mostre-me a sua vontade para eles. Revele-me as inclinações deles e me oriente a encorajá-los a buscar os dons que o Senhor lhes concede.

Pai, consagro hoje meus filhos e os libero para o Senhor. Todos os dias deles foram ordenados e abençoados pelo Senhor. Dê a todos nós a graça de carregá-los bem. Guie os meus filhos na sua verdade, Pai. Mantenha-os andando para sempre nos seus caminhos. Em nome de Jesus, amém.

A espada do Espírito

"De fato, a piedade com contentamento é grande fonte de lucro, pois nada trouxemos para este mundo e dele nada podemos levar" (1Timóteo 6:6-7).

"Vocês não são de si mesmos? Vocês foram comprados por alto preço. Portanto, glorifiquem a Deus com o seu próprio corpo" (1Coríntios 6:19-20).

"Pois todos os animais da floresta são meus, como são as cabeças de gado aos milhares nas colinas" (Salmos 50:10).

"Como é precioso o teu amor, ó Deus! Os homens encontram refúgio à sombra das tuas asas" (Salmos 36:7).

Perguntas para a discussão em um pequeno grupo

1. Escreva o nome dos seus filhos e ao lado de cada nome ponha três dos pontos mais fortes de cada um deles. (Abaixo forneço um modelo para o seu quadro). Que dons e habilidades tornam cada um deles especial? Quais são os principais interesses deles? Discuta a sua resposta com o grupo. Os outros membros também têm percepções excelentes em relação ao talento dos seus filhos?

Nome do filho	Pontos fortes da personalidade	Dons e habilidades	Interesses

2. Agora, reserve um tempo para meditar sobre os pontos fracos ou conflitos de cada um dos seus filhos. Em que áreas você gostaria de vê-los crescer e amadurecer nesse ano?
3. Que objetivos espirituais gostaria de ver os seus filhos alcançarem ao longo do próximo ano? Se quiser, escreva as suas respostas. Ore hoje especificamente pelos seus filhos, um a um, nessas áreas. Peça ao Senhor para lhe dar sabedoria e um plano específico para ajudar cada um deles a se desenvolver e a amadurecer nessas áreas. Se o tempo permitir, discuta esses objetivos no seu grupo e apresentem ideias umas às outras de como estimular o crescimento dos seus filhos.

Capítulo 11

Ouça a voz de Deus acima do ruído da vida diária

> Encontre tempo para os momentos de quietude quando Deus sussurra e o mundo está barulhento.
>
> Anônimo

Às vezes ouvimos as pessoas dizerem: "Deus me disse isso e aquilo", e em segredo nos perguntamos: *Como você sabe que era Deus?*

Elizabeth Alves escreveu: "A frase 'Deus falou comigo' é uma das mais mal-interpretadas entre o seu povo; ela pode criar mal-entendido, confusão, dor, rejeição, ciúmes, orgulho e outras reações negativas. Talvez já tenha se deparado com alguém que tem facilidade para ouvir a Deus. [...] Se não estiver familiarizada com a frase 'Deus me disse' ou não sabe como ouvir a voz de Deus, talvez você se sinta inferior, achando que Deus nunca fala com você."[51]

Não se preocupe se nunca ouviu Deus falar com você por intermédio do Espírito Santo. Acredito que você começa a discernir a orientação dele à medida que a sua vida de oração fica mais ativa e poderosa. Você o ouve falar na sua mente e no seu coração quando a sua comunhão com Deus se aprofunda. O desenvolvimento da capacidade do ouvir ativo e um espírito calmo e expectante são as chaves para escutar o Senhor.

Lutamos, como mães, com ocupações e distrações e também com estresse emocional, como a exaustão, a depressão, o medo, a raiva, o pesar e a ansiedade. Satanás ama aumentar o caos emocional na nossa

---

[51] ALVES, *Becoming a Prayer Warrior*, p. 71. (Veja o capítulo 5, n. 2.)

vida para nos impedir de caminhar em comunhão com Deus. Ele enche ao máximo o nosso dia com distrações barulhentas no seu esforço para nos desconectar de Deus.

Por que somos tão viciados em atividade e barulho? Porque tememos ficar sozinhas com os nossos próprios pensamentos. Temos medo do silêncio e da solidão. Evitamos a comunhão pacífica com o nosso Salvador porque tememos não sermos boas o bastante sem todos esses nossos "afazeres". Temos medo do que Deus pode nos dizer ou nos pedir se ficarmos sentadas tranquilas por tempo suficiente para ouvi-lo falar. Não temos muita certeza de como lidar com a responsabilidade sagrada de ficarmos calmas e sabermos que ele é Deus (veja Salmos 46:10).

Nas Escrituras (principalmente no Antigo Testamento), Deus, em determinados momentos, falou em alto e bom som com o seu povo. De acordo com Jó 40:6, Deus uma vez falou com Jó no meio da tempestade. Habacuque conheceu o som de Deus falando com ele (Habacuque 2:2). Em 1Reis 19:12, Elias descreveu o som de Deus falando como um "murmúrio".

Deus já falou conosco por meio da revelação natural (a sua criação) e da revelação especial (a sua Palavra). Ele, às vezes, também escolhe se comunicar conosco por intermédio de outros métodos, como livros, filmes, vídeos, sermões, nossas conversas com outras pessoas e nossas experiências pessoais.

Quando oramos fielmente pela resposta de Deus, podemos ouvir essa resposta das maneiras mais inesperadas em um tempo espontâneo e surpreendente. Às vezes, Deus nos fala no que parecem ser os momentos mais caóticos e estranhos. A "voz" dele (a voz do Espírito Santo falando no nosso coração) atravessa o ruído na nossa alma quando ele esclarece a sua vontade e a sua mensagem.

Nunca ouvi audivelmente a voz de Deus, mas ouvi o Espírito Santo "falando" no meu coração. É inconfundível. Elizabeth Alves escreveu que ouvimos a voz de Deus no "auditório da mente".[52] Ouvi a voz de Deus com mais frequência quando estava aguardando e orando a respeito de uma questão importante na minha vida ou na vida dos meus filhos ou passava de um estágio da vida para o seguinte.

---

[52] Ibid., p. 74.

Por exemplo, vários anos atrás comecei a trabalhar meio-período como escritora para uma empresa especializada em otimização para ferramentas de busca. Gostava de fazer esse serviço, mas não tinha certeza se o trabalho era a vontade de Deus para mim na época. Precisávamos complementar a renda, mas a minha agenda já estava lotada tendo de cuidar do meu marido e dos meus dois bebês, manter a nossa casa, escrever livros e ministrar para as minhas leitoras.

Certo dia, estava brincando com a minha filha no nosso quarto quando ouvi o Senhor dizer claramente: *Vou suprir essa necessidade de outra maneira.* Sabia que ele se referia à nossa necessidade financeira.

A partir daquele dia senti paz enquanto esperava para ver o que Deus reservara para a nossa família. Durante esse tempo, continuei a aceitar as missões de otimização para ferramentas de busca, confiando que o Senhor revelaria o seu plano para a minha vida. Vários meses depois, meu agente literário me telefonou com a boa notícia de que este livro seria publicado.

Recentemente, levei o meu filho e a minha filha para brincarem no McDonald's. Evan adora correr pelo lugar todo, escalando todos os brinquedos, correndo pelos túneis e depois descendo pelo escorredor cheio de curvas. No limite da área de brinquedos há um portão alto e estreito com uma fechadura. Nunca notei o portão antes, mas Evan, certo dia, pulou nele e começou a balançá-lo. Ele jogou a cabeça para trás e soltou uma gargalhada quando a porta fez um *som estridente.* Ri da alegria dele; ele é um menino tão alegre, amoroso e confiante, e isso dá grande alegria ao meu coração.

De repente a voz do Espírito Santo atravessou alta e clara a minha mente: *Ele vai chacoalhar as portas.*

Atônita, olhei para o meu filho.

Então, o Senhor trouxe esta passagem à minha mente: "Sobre esta pedra edificarei a minha igreja, e as portas do Hades não poderão vencê-la" (Mateus 16:18).

De repente a minha perspectiva mudou, e Deus me permitiu ver meu filhinho através de novos olhos espirituais. Esse pequenino tem um futuro poderoso à espera dele! Acredito que Evan se envolverá em um ministério influente. Mais tarde, disse ao meu marido que essa impressão do Senhor significava muito para mim porque sentia que ele me dava duas certezas: (1) que o meu filho se envolveria em algum tipo de ministério poderoso; e (2) que o meu filho *viveria*.

Um filho prematuro e frágil exige muita energia, tempo e esforço esperando e orando para que ele simplesmente viva um dia após o outro. Você investe todo o seu ser apenas tentando ajudar o seu filho a fazer isso. Depois dessa verdade dita pelo Senhor, senti grande paz no meu espírito. Também senti uma responsabilidade ainda maior de criar os meus filhos como poderosos seguidores de Cristo e guerreiros de oração.

João 14:26 descreve o Espírito Santo como o nosso conselheiro, consolador, auxiliador, guia e advogado diante do Pai. Gosto de uma tradução da Bíblia que diz: "Mas o Advogado, o Espírito Santo, que o Pai vai enviar em meu nome, ele ensinará a vocês todas as coisas e fará vocês lembrarem tudo o que eu lhes disse" [CNBB].

Em 1Coríntios 3:16, Paulo pergunta: "Vocês não sabem que são santuário de Deus e que o Espírito de Deus habita em vocês?" Se você é cristã, possui o Espírito de Deus vivo, palpitante e animado no seu íntimo. Conforme você aquieta a sua alma e se agarra às orações e exílio, você o ouvirá mais claramente. A habitação do Espírito Santo guia o seu espírito e lhe dá sabedoria em relação aos seus filhos. Você para de ter medo da solidão e do silêncio a fim de, na verdade, aprender a abraçá-los.

Já ouviu o ditado: "Salte e a rede vai aparecer"? Deus, às vezes, pede que saiamos corajosamente em fé e obediência e depois revela o nosso próximo passo. A minha amiga Jodi me lembrou certa vez: "Deus raramente está adiantado, mas ele *nunca* está atrasado!" Quando precisarmos dar o passo seguinte, Deus revelará que escolha quer que façamos.

Sabemos pelas Escrituras que Deus não só nos ouve, mas também nos vê na nossa aflição. Eis um exemplo pungente de Gênesis 16.

Deus tinha prometido dar um filho a Abraão e Sara, um herdeiro que seria o pai de muitas nações. No entanto, Abraão e Sara estavam cansados de esperar e escolheram resolver o assunto por conta própria. Abraão engravidou a serva de Sara, Hagar.

Sara começou imediatamente a desprezar e a maltratar Hagar, e a serva fugiu para o deserto.

A Bíblia diz:

> O Anjo do SENHOR encontrou Hagar perto de uma fonte no deserto, no caminho de Sur, e perguntou-lhe: "Hagar, serva de Sarai, de onde você vem? Para onde vai?" Respondeu ela: "Estou fugindo de Sarai, a minha senhora."
>
> Disse-lhe então o Anjo do SENHOR: "Volte à sua senhora e sujeite-se a ela." Disse mais o anjo: "Multiplicarei tanto os seus descendentes que ninguém os poderá contar."
>
> Disse-lhe ainda o Anjo do SENHOR: "Você está grávida e terá um filho, e lhe dará o nome de Ismael, porque o SENHOR a ouviu em seu sofrimento.
>
> Ele será como jumento selvagem; sua mão será contra todos, e a mão de todos contra ele, e ele viverá em hostilidade contra todos os seus irmãos."
>
> Este foi o nome que ela deu ao SENHOR que lhe havia falado: "Tu és o Deus que me vê", pois dissera: "Teria eu visto Aquele que me vê?"
>
> Gênesis 16:7-13

Nessa passagem, Hagar chamou Deus pelo magnificente apelido El-Roi — "o Deus que vê". Todos os envolvidos na história de Hagar sofreram com a desobediência de Abraão e Sara. Mas Deus ainda tinha um plano para Hagar e para o seu filho, Ismael. E, a partir da história dela, descobrimos o tesouro desse nome poderoso, mencionado só uma vez em toda a Bíblia. El-Roi é o Deus que nos vê e nos ama de todo jeito. Ele guia até mesmo os que o desobedecem e protege aqueles que terminam como vítimas da desobediência de outros. Ele tem um plano amoroso para todas as mães e para todos os filhos.

O nosso coração, da mesma maneira como fez Hagar, explode de alegria quando descobrimos que ouvimos Deus, nosso Pai, que também nos ouve. Quando ele fala ao nosso coração por intermédio do Espírito Santo, sabemos que ele existe, nos vê, nos ama e se importa com os mínimos detalhes da nossa vida.

Sabe o que mais? O nome Ismael significa "Deus ouve". A visão de Deus está ligada inseparavelmente à sua audição. Ele vê o seu sofrimento e o meu, e o dos seus filhos. E ele ouve sua voz e a minha, e a voz dos seus filhos.

Deus nos deu o dom especial da "intuição materna". Conhecemos os nossos filhos melhor que ninguém neste mundo. Assim, podemos confiar no Senhor quando ele nos dá essa sensação de que o nosso filho está escondendo alguma coisa de nós ou enfrentando algum problema no íntimo do seu ser.

Stormie Omartian compartilha a história do seu filho Christopher, que estava jogando beisebol na casa do amigo Steven, quando a bola bateu na janela panorâmica da casa.

A mãe de Steven saiu pela porta da frente e perguntou:

— Quem fez isso?

— Não fui eu — disse Steven.

— Não fui eu — disse Christopher.

— Steven, você não quebrou a janela com essa bola? — perguntou ela.

— Não quebrei, não — respondeu ele, enfático.

— Christopher, você quebrou a janela com essa bola?

— Se você me viu fazer isso, fui eu. Se você não me viu fazer isso, não fui eu. — respondeu Christopher com a sua voz mais trivial.

— Não vi você fazer isso — disse ela.

— Então não fiz isso — replicou ele.

Quando a mãe de Steven nos disse o que tinha acontecido, soubemos que precisávamos lidar com isso imediatamente para que Christopher soubesse que não podia se safar mentindo.

— Christopher, alguém viu tudo o que aconteceu. Você gostaria de nos contar sobre isso? — disse, querendo a sua confissão completa e um coração arrependido.

— Está certo, eu quebrei a janela — contou ele com a cabeça inclinada.

Tivemos uma longa conversa sobre o que a Palavra de Deus fala a respeito da mentira.

— Satanás é um mentiroso — disse-lhe. — Todo o mal que ele faz começa com uma mentira. As pessoas que mentem acreditam que a mentira deixará as coisas melhores para elas, mas na verdade ela faz exatamente o oposto. Porque dizer uma mentira significa que você se alinhou com Satanás. Toda vez que mente, dá a Satanás um pedaço do seu coração. Quanto mais mente, mais dá espaço no seu coração para o espírito mentiroso de Satanás, até não conseguir parar de mentir. A

Bíblia diz: "A fortuna obtida com língua mentirosa é ilusão fugidia e armadilha mortal" (Provérbios 21:6). Talvez você ache que está conseguindo alguma coisa mentindo, mas o que de fato faz é trazer morte para a sua vida.

[...] Um bom tempo depois desse incidente, Christopher me perguntou quem o tinha visto naquele dia.

— Foi Deus — expliquei — Ele o viu. Sempre peço a Deus para me revelar qualquer coisa que preciso saber sobre você ou sobre a sua irmã. Ele é o Espírito da Verdade.

— Mamãe, isso não é justo — disse ele.

Depois disso, no entanto, ele passou a me confessar qualquer mentira que dissesse:

— Achei melhor lhe dizer antes que você ouça de Deus — explicou ele.[53]

Oro para o Senhor lhe falar a respeito da vontade dele para a sua vida, para o seu casamento e para a sua família. Peça-lhe: "Pai, ajude-me a ouvir a voz do Espírito Santo. Aumente a minha sabedoria e discernimento em relação à minha própria vida espiritual, ao meu casamento e ao meu relacionamento com os meus filhos. Revele-me qualquer desonestidade ou outros problemas que possam feri-los. Ensina-me a ouvir com cuidado e sem julgamento. Ajude-me a estender a graça aos meus filhos."

Não tenha medo de interferir com amor na vida dos seus filhos quando for necessário. Use as Escrituras para apoiar as suas palavras e ações. Diga aos seus filhos as suas expectativas e tenha certeza de assegurá-los com palavras como: "Amo você, Deus ama você, e acho você maravilhoso!" O propósito de Deus com a prestação de contas é sempre produzir a restauração do nosso relacionamento com ele e com os outros. Talvez ele a esteja designando para ajudar a trazer o coração dos seus filhos na direção dele.

[53] OMARTIAN, Stormie. *The Power of a Praying Parent*, in *The Power of Praying 3-in-1 Collection*. Eugene, OR: Harvest House Publishers, p. 87-89.

Oração de hoje

Querido Senhor, obrigada por falar conosco por intermédio da sua Palavra e da sua criação. Louvamos o Senhor pela sua orientação. Oro para que o Senhor ilumine a mim e aos meus filhos com o seu espírito de verdade. Dê-me discernimento em relação às necessidades dos meus filhos. Quando vir uma questão ou um problema com o qual preciso lidar, mostre-me a melhor maneira de fazer isso. Afaste quaisquer espíritos de negatividade, engano ou amargura. Guarde os meus filhos contra as influências prejudiciais, contra os amigos desencaminhados e contra as mentiras de Satanás. Ajude-me a ser um exemplo piedoso e amoroso para eles. Ensine-me a confessar o meu pecado e a pedir perdão quando falho. Oro para que o Senhor traga luz para quaisquer problemas na vida dos meus filhos com os quais seja necessário lidar. Faça com que eu e os meus filhos sejamos pessoas íntegras e santas. Separe-nos e santifique-nos para o seu trabalho, Senhor. Mantenha-nos todos ouvindo a sua voz e trilhando o caminho da sua verdade. Em nome de Jesus, amém.

A espada do Espírito

"As minhas ovelhas ouvem a minha voz; eu as conheço, e elas me seguem" (João 10:27).

"Eis que estou à porta e bato. Se alguém ouvir a minha voz e abrir a porta, entrarei e cearei com ele, e ele comigo" (Apocalipse 3:20).

"Mas o Conselheiro, o Espírito Santo, que o Pai enviará em meu nome, lhes ensinará todas as coisas e lhes fará lembrar tudo o que eu lhes disse" (João 14:26).

Perguntas para a discussão em um pequeno grupo

1. Que conceitos equivocados você ouviu sobre Deus "falar" com o seu povo hoje? Por que acha que esse conceito é confuso e controverso na nossa cultura?
2. Você já ouviu o Senhor falar (por intermédio do Espírito Santo) à sua mente e ao seu coração? Se esse for o caso, descreva a sua experiência. Como ela aconteceu? Qual era a circunstância? Que mensagem Deus lhe transmitiu? Descreva o resultado.
3. Quando pensa na idade, na fase e na situação dos seus filhos, como acha que o Espírito Santo a guia a encorajá-los e a ajudá-los nesse momento? Há áreas problemáticas em que o Senhor a está chamando a se manifestar e a prestar contas por um ou mais dos seus filhos? Se esse for o caso, quais são elas?
4. O que significa para você o fato de que Deus É, VÊ e OUVE as suas orações? Como isso influencia e transforma o seu relacionamento com ele?

Capítulo 12

Seja a primeira a defender os seus filhos

O amor materno é o combustível que capacita um ser humano normal a fazer o impossível.

Marion C. Garretty[54]

"A MÃO QUE BALANÇA o berço governa o mundo."[55]

Você não encontra esse provérbio na Bíblia, mas ele é verdade, certo? A sua presença e as suas palavras, como Mãe Guerreira de Oração, exercem mais influência nos seus filhos que as de qualquer pessoa. Você tem o privilégio e a responsabilidade de ajudá-los a desenvolver piedosamente o caráter, a integridade, a confiança e uma opinião saudável de si mesmos. Desde o nascimento, você "governa" o mundo deles.

Por ser a pessoa que mais dedica tempo aos seus filhos, você tem a bênção de servir como defensora e heroína deles. Cultive a gratidão e a graça no canteiro do coração deles. Sirva como professora, amiga, exemplo, confidente, parceira de brincadeiras, confortadora deles e muito mais.

Provérbios 25:11 diz: "A palavra proferida no tempo certo é como frutas de ouro." Nada ameniza um coração partido como o abraço carinhoso e as palavras gentis e encorajadoras de uma mãe. No momento em que escrevo, tenho 38 anos e, com frequência, ainda sinto

[54] GARRETTY, Marion C. conforme citado em Quote Garden, http://www.quotegarden.com/mothers.html.

[55] WALLACE, William Ross. "The Hand That Rocks the Cradle Is the Hand That Rules the World". Disponível em: http://www.theotherpages.org/poems/wallace1.html.

necessidade de conversar com a minha mãe quando me sinto desanimada. Nós vivemos a 1.300km de distância, mas sempre posso contar com ela para me encorajar, orar *por* mim, orar *com* ela, falar a verdade sobre a minha vida e apenas me ouvir calmamente quando preciso de fato ser ouvida. Ela é o exemplo supremo de uma Mãe Guerreira de Oração — a que me inspirou a escrever este livro.

A minha mãe é sempre a minha defensora, a minha heroína e a minha torcedora fiel. Desde que nasci, ela me fez acreditar que Deus tinha um plano especial para minha vida e que podia me usar para fazer algo influente para o seu Reino. Romanos 8:31 pergunta: "Se Deus é por nós, quem será contra nós?" Acredito que, se temos uma mãe intercedendo por nós, nada pode ficar contra nós — quer essa oposição surja no reino terreno, quer no espiritual.

Tive uma amiga no seminário, cuja mãe, Pam, é outro exemplo incrível de Mãe Guerreira de Oração. Pam e o marido, Bob, serviram durante muitos anos como missionários norte-americanos nas Filipinas. O casal tinha quatro filhos quando Pam descobriu que estava grávida de novo. A sua quinta gravidez foi difícil desde o começo, com muita dor e sangramento. Várias vezes, ela teve certeza de que tinha perdido o bebê. O casal marcou uma consulta com uma ginecologista que supostamente era a melhor especialista da cidade para descobrir as opções a fim de salvar a vida de Pam.

— O aborto é a única maneira de salvar a sua vida — disse o médico a Pam. — Há só uma massa de tecido fetal: um tumor.

Pam e Bob saíram do consultório chocados e um pouco entorpecidos, mas decididos a manter o bebê. O Senhor encheu Pam de uma paz inesperada e indescritível que a sustentou durante a dor, o sangramento e a incerteza que a acometeram no restante da gravidez.

Finalmente, na sala de parto do Makati Medical Center, em Manila, Pam deu à luz um menino, seguido de um imenso coágulo de sangue, que era ainda maior que o bebê.

O médico presente disse ao casal:

— O seu filho é um milagre. Não consigo explicar como isso aconteceu, mas ele venceu todas as probabilidades. Só uma pequena parte da placenta estava presa, mas foi suficiente para manter o seu bebê alimentado durante todos esses meses.

Antes do nascimento dele, o pai tinha orado: "Pai, se o Senhor quiser outro pregador neste mundo, dê-o para mim." Bob tinha decidido que gostava do nome Timothy e esperava que o bebê fosse um menino. Ele disse a Deus:

— O Senhor me dá Timmy e o criarei para ser um pregador.

O pequeno Timmy cresceu para se tornar Tim Tebow, um jogador de futebol detentor de recordes para a Universidade da Flórida que continuou a jogar na Liga Nacional de Futebol e se tornou o primeiro atleta do segundo ano a ganhar o troféu Heisman. Tim compartilhava publicamente o seu testemunho cristão e ganhou atenção extra da mídia por usar o número de versículos bíblicos escritos nas bochechas — "Filipenses 4:13" e "João 3:16". Tim Tebow, como resultado do seu sucesso, teve a oportunidade de compartilhar a mensagem cristã com milhares de pessoas. Deus respondeu à oração do seu pai: afinal, Timmy se tornou um "pregador".[56]

Os pais de Tim foram os seus defensores. Eles acreditaram na santidade da vida e resistiram pelo filho quando ele não podia. Esperavam que o menino se tornasse um pregador, mas lhe permitiram seguir o caminho talhado pela sua notória habilidade e pelos seus interesses. Eles o apoiaram 100% na carreira que escolheu.

Abraham Lincoln, 16º presidente dos Estados Unidos, disse certa vez: "Lembro-me das orações da minha mãe e elas sempre me seguiram. Elas se agarraram a mim durante toda a minha vida."[57] Tenho certeza de que Tim Tebow diria a mesma coisa hoje.

Antes do nascimento do meu próprio filho, senti o Senhor imprimir no meu coração estas palavras: "Marla, esteja *totalmente* presente na vida dos seus filhos." Obedeci ao seu chamado ao decidir que estaria (tanto quanto possível) presente com os meus filhos e para eles. Trabalhei meio período para um ministério, mas, depois do nascimento do meu filho, escolhi me tornar uma mãe caseira. De todo jeito, cuidar de Evan mostrou ser uma responsabilidade integral, então essa decisão funcionou muito bem!

Você pode ter um ou mais filhos que foram rotulados de "teimosos" ou "impetuosos". Talvez eles tenham algum déficit de atenção

---

[56] Adaptado de TEBOW, Tim. *Through My Eyes*. Nova York: HarperCollins, 2011, p. 3-4.

[57] http://www.brainyquote.com/quotes/quotes/a/abrahamlin145909.html.

ou transtorno de déficit de atenção por hiperatividade. Talvez tenham alguma necessidade especial. Se esse for o caso, você precisa ser a torcedora deles. Eles precisam que você os ame, os admire e os respeite e também precisam que você ajude os outros a vê-los como você os vê: bonitos, dotados, amados e cheios de potencial.

Os rótulos podem matar a alma tanto emocional quanto fisicamente. Eles fazem as crianças se sentirem mal, envergonhadas, feridas e inúteis. E os rótulos também machucam os pais, trazendo à tona medo, confusão, ressentimento, vergonha, embaraço, exaustão e raiva. Jamais esquecerei quando uma funcionária da igreja chamou o meu filho de dois anos de “agressivo”. Fiquei atônita. O meu doce, exuberante e divertido prematuro era “agressivo”? Nada desperta o instinto maternal mais rápido que alguém atacar os seus filhotes!

No entanto, quis manter o espírito humilde e receptivo. O meu filho às vezes jogava o canudinho da sua bebida no chão e tinha dificuldade em dividir os brinquedos; ele podia demonstrar algum *comportamento* agressivo, mas sabia que ele não o era *de coração*.

David e eu oramos juntos para ajudar Evan a superar os seus problemas sociais e comportamentais. Ele também começou a fazer fonoaudiologia com dois terapeutas incríveis. Ele amava a terapia, que o ajudou muitíssimo.

Além disso, o meu marido e eu começamos a pesquisar para ajudar Evan no seu desenvolvimento espiritual e emocional. Li um livro intitulado *Raising Your Spirited Child* [Criando o seu filho impetuoso], que foi particularmente informativo. A autora escreveu: “Crianças impetuosas conseguem angariar uma abundância de rótulos terríveis e negativos, além de mal designados. [...] Uma vez que se estabelece uma expectativa, mesmo que não seja correta, agimos em conformidade. Com surpreendente frequência o resultado dessa expectativa, como por mágica, acaba por se concretizar. É o efeito Pigmaleão, bem documentado pelos pesquisadores.”[58]

Ela prossegue com a explicação: “É fácil cair na armadilha de rotular as crianças. Mesmo se você tende a ser uma pessoa incrivelmente positiva, pode ser vítima de um torvelinho ao rotular de forma negativa quando o seu filho está envolvido. Começando hoje, você pode

[58] KURCINKA, Mary Sheedy. *Raising Your Spirited Child*. Nova York: HarperCollins, 2006, p. 22-23.

escolher parar de usar palavras que projetam uma imagem negativa do seu filho."[59]

A autora liderava um grupo de apoio para pais de crianças impetuosas, muitas delas com necessidades especiais. No seu grupo, ela pediu que os pais enumerassem os rótulos que eles (e os outros) tinham dado aos seus filhos. Enumeraram termos como "respondão", "imprevisível", "agressivo", "explosivo", "exigente" e "seletivo". A seguir, ela pediu que os pais examinassem a lista de "rótulos ruins" e descobrissem os pontos fortes dos filhos fundamentados em cada um desses termos. Eis como esse grupo transformou os rótulos (e a atitude em relação aos filhos):

Antigos rótulos negativos	**Novos rótulos estimulantes**
Exigente	Mantém padrões elevados
Imprevisível	Flexível; um criativo solucionador de problemas
Barulhento	Entusiasta e vibrante
Respondão	Opiniático, firmemente comprometido com os objetivos
Teimoso	Assertivo, disposto a persistir em face dos obstáculos
Intrometido	Curioso
Agitado	Enérgico
Extremo	Sensível
Inflexível	Tradicional
Manipulador	Carismático
Impaciente	Convincente
Ansioso	Cauteloso
Explosivo	Dramático
Exigente	Seletivo
Rabugento	Analítico
Distraído	Perceptivo

[59] Ibid., p. 28.

A autora escreveu: "Focar os rótulos positivos permite que você reconheça que o seu filho é de fato aquele que sonhou ter. [...] Enquanto ajuda o seu filho que acabou de fazer um ano a sair da área em que se diverte, pode dizer: 'Você é realmente curioso. Vejamos o que descobre aqui no armário da cozinha.'"[60]

Enquanto lia e orava a respeito do meu filho, ouvi Deus dizer claramente: "Marla, rejeite esses rótulos negativos." Evan sempre teve uma personalidade alegre e exuberante. À medida que lia os nove traços de temperamento que as "crianças impetuosas" têm, percebi que a descrição não se ajustava de maneira alguma a Evan. (Elas possuem: persistência negativa, alta intensidade, irregularidade, distração, alta energia e nível de atividade, hipersensibilidade, baixa adaptabilidade, alta reatividade e humor frequentemente irritadiço.) Deus inundou a minha alma de paz enquanto eu me focava em ajudar o meu filho a desenvolver o autodomínio e os comportamentos piedosos sem engavetá-lo com rótulos negativos.

Muitas das pessoas mais brilhantes e influentes do mundo lutaram para superar rótulos negativos, desordens de aprendizado e outros impedimentos durante a vida. Albert Einstein, Thomas Edison e Winston Churchill foram rotulados como "burros" pelos professores no início da vida. Que tragédia! Mais recentemente, celebridades como Salma Hayek, Keira Knightley, Will Smith, Jim Carrey, Justin Timberlake e Ty Pennington lidaram com diferenças de aprendizado e com transtorno de déficit de atenção por hiperatividade.

Quando a minha mãe ficou sozinha com cinco filhos, a nossa família enfrentava problemas financeiros. O meu pai trocou a minha mãe por outra mulher, e passamos a viver principalmente de pensão alimentícia.

Mamãe disse: "Tudo o que podia fazer era derramar o meu coração em oração a fim de que Deus provesse para as necessidades da nossa família. Então um dia, o Senhor me disse: 'Dorothy, cuide das crianças, eu cuidarei do resto.' E ele cuidou! Deus proveu milagrosamente para a nossa família mês após mês."

Uma das minhas lembranças mais preciosas sobre a minha mãe é que ela estava sempre *ali* para nós. Sim, ela podia ter escolhido

[60] Ibid., p. 29-31.

arrumar um trabalho fora de casa. Na verdade, essa parecia ser a única opção que proveria para as nossas necessidades financeiras. Mas ela confiou em Deus e ficou em casa, e o Senhor provou ser fiel ao satisfazer cada uma das nossas necessidades. A minha mãe servia como a nossa defensora e heroína. Quer gostássemos quer não, ela sempre quis saber: aonde íamos, com quem íamos, o que planejávamos fazer e que pais estariam presentes.

A minha mãe assumiu a responsabilidade do cuidado, do crescimento espiritual, da proteção e do bem-estar dos filhos. Ela tinha padrões elevados, mas, sempre que eu tinha uma necessidade ou estava lidando com um problema, sabia que ela estaria ali para mim. E ela ainda está.

Vi recentemente uma citação que dizia: "Lar é onde a sua mãe está." Para mim, isso ainda é verdade. Que grande objetivo para nós é nos tornarmos Mães Guerreiras de Oração — fazer com que a nossa presença e as nossas orações transformem *qualquer lugar* em "lar" para os nossos filhos. Hoje, oro para que o Senhor lhe dê sabedoria sobre as maneiras específicas e criativas de ser a defensora e heroína dos seus filhos. Diga-lhes que você está sempre por perto, torcendo pela vitória deles.

Oração de hoje

Pai celestial, agradeço-lhe por ser aquele que está sempre presente. O Senhor nunca me deixará nem abandonará os seus filhos. Esteja totalmente presente para mim e para os meus filhos hoje. Ajude-me a ser a defensora e heroína mais poderosa para eles. Forneça-me maneiras de lhes mostrar que estou ao lado deles e os amarei independentemente do que façam. Ajude-me a proteger o espírito deles com palavras positivas, encorajadoras e doadoras de vida. Mostre-me as áreas em que eles precisam ser exaltados hoje. Quando eles estiverem em situações de conflito, dê-me a sabedoria de discernir a verdade sobre o que aconteceu. Revele para os meus filhos que sou a líder da torcida deles e que desejo a sua vitória espiritual. O Senhor já orquestrou tudo para eles nos reinos celestiais. Por favor, revele a sua vontade para a vida deles e ajude-me a guiá-los nisso. Dê-me sabedoria quanto a como posso elogiar, encorajar, inspirar e orar especificamente pelos meus filhos, um a um, hoje. Em nome de Jesus, amém.

A espada do Espírito

"Meus filhinhos, escrevo-lhes estas coisas para que vocês não pequem. Se, porém, alguém pecar, temos um intercessor junto ao Pai, Jesus Cristo, o Justo" (1João 2:1).

"Tu criaste o íntimo do meu ser e me teceste no ventre de minha mãe. Eu te louvo porque me fizeste de modo especial e admirável. Tuas obras são maravilhosas! Disso tenho plena certeza" (Salmos 139:13-14).

"Mas agora assim diz o SENHOR, aquele que o criou, ó Jacó, aquele que o formou, ó Israel: "Não tema, pois eu o resgatei; eu o chamei pelo nome; você é meu" (Isaías 43:1).

"Se Deus é por nós, quem será contra nós? Aquele que não poupou seu próprio Filho, mas o entregou por todos nós, como não nos dará juntamente com ele, e de graça, todas as coisas? [...] Mas, em todas estas coisas somos mais que vencedores, por meio daquele que nos amou" (Romanos 8:31-32,37).

Perguntas para a discussão em um pequeno grupo

1. Qual é sua resposta para o dito: "A mão que balança o berço governa o mundo"? Acha que isso é verdade na sua família? Por quê?
2. Descreva algumas formas pelas quais serviu no passado de defensora e heroína dos seus filhos. Agora descreva uma circunstância em que não apoiou o seu filho da maneira como deveria. Quais eram as circunstâncias? O que você aprendeu com isso?
3. Os seus pais foram defensores e heróis ou você achava que eles tinham espírito crítico? Como a atitude deles a afetou? A sua mãe orava por você? Como isso influenciou as suas próprias orações pelos seus filhos?
4. Pense nos rótulos que estão "presos" aos seus filhos. Eles são negativos ou positivos? Você atribuiu rótulos negativos ou dolorosos aos seus filhos, quer de forma consciente, quer inconsciente? Se esse for o caso, quais são eles? Tente fazer o exercício descrito na tabela contida neste capítulo; enumere os rótulos negativos e, depois, transforme-os em positivos.

Capítulo 13

Procure discernir a vontade de Deus para os seus filhos

A vontade de Deus não é um itinerário, mas uma atitude.

Andrew Dhuse[61]

Qual é a coisa que mais queremos saber? Queremos saber qual é a vontade de Deus para nós mesmas e para os nossos filhos.

A nossa vida não seria muito mais fácil se Deus falasse claramente e antes de os nossos filhos escolherem o curso universitário, o cônjuge, a carreira, o ministério e o caminho de vida para que não tivéssemos de nos angustiar quanto a essas escolhas?

A verdade é que *não* temos de agonizar por causa delas. Deus nos concede o discernimento e a sabedoria suficientes para lidar com as bênçãos e as preocupações que enfrentamos hoje. Jesus disse: "Não se preocupem com o amanhã, pois o amanhã se preocupará consigo mesmo. Basta a cada dia o seu próprio mal" (Mateus 6:34).

Você, como mãe, já se descobriu esperando ou orando por algo quando sabia bem lá no fundo que esse não era o plano de Deus? Sei que já fiz isso. Às vezes oramos para que os nossos filhos não tenham de enfrentar a plena consequência pelas suas palavras e pelos seus atos. Nós os amamos tanto que queremos poupá-los do sofrimento. Mas de vez em quando temos de recuar e deixá-los aprender as lições da vida da forma difícil.

Oseias 4:6 afirma: "Meu povo foi destruído por falta de conhecimento." Conhecer a Palavra de Deus é a melhor maneira de entender a

[61] DHUSE, Andrew. http://www.quotegarden.com/god.html.

vontade do Senhor. Parte do nosso chamado, como Mães Guerreiras de Oração, é nos guardar contra a preocupação com coisas que não podemos controlar, esperando coisas que contradizem a natureza de Deus e orando por resultados que não estão no plano do Senhor. Temos certeza de que a vontade de Deus para os nossos filhos nunca envolverá nada que contradiga diretamente a sua Palavra ou as suas ordens.

Entenderemos melhor a vontade de Deus absorvendo duas categorias básicas. Na primeira, Deus executa a sua vontade *ativa* (perfeita e decretada). Romanos 12:2 declara: "Não se amoldem ao padrão deste mundo, mas transformem-se pela renovação da sua mente, para que sejam capazes de experimentar e comprovar a boa, agradável e perfeita vontade de Deus." A vontade de Deus está declarada na sua Palavra. Ela não pode mudar; ele decretou-a, e ela permanecerá por toda a eternidade.

A vontade ativa do Senhor é revelada por intermédio do que ele já fez (criou o mundo, nos concedeu as Escrituras), o que fará no futuro e o que está fazendo neste momento (escolhendo entrar na nossa vida e se envolvendo com o seu povo por meio da oração). Ele realiza o seu plano no céu e na terra por intermédio do poder do Espírito Santo ao responder às nossas orações.

A sua vontade ativa também contém a vontade "discernida" ou "diretiva", conforme oramos e discernimos os caminhos que Deus escolhe para que nós e os nossos filhos sigamos.

Na segunda categoria, Deus realiza a sua vontade *permissiva*. Ele permite que o sigamos ou não. Ele quer que o amemos e o obedeçamos e que também confiemos nele, mas não nos força a isso. Ele nos deixa seguir um caminho pecaminoso se assim desejarmos.

Um autor escreveu: "[A sua vontade permissiva] abrange o que Deus permite, embora seja pecado. Deus permitiu que os irmãos de José o traíssem, enganassem o pai deles, de modo que o Senhor pudesse trazer os israelitas (poucos em número) para o Egito, onde Deus os poupou, e eles se multiplicaram muito (Gênesis 50:20). Deus permite que o homem rejeite o evangelho, desobedeça obstinadamente às suas leis, persiga o justo e assim por diante. Mas ele controla tudo isso e realiza os seus propósitos."[62]

[62] "Você pode me ajudar a entender a vontade perfeita de Deus *versus* sua vontade permissiva?" *Bible.Org*. Disponível em: http://bible.org/question/can-you-help-me-understand-

Deus guiou a minha amiga Jessica (nome fictício; a história foi usada com permissão dela) e sua família em uma difícil mudança para longe da igreja e dos seus amigos — e depois a situação ficou ainda pior! Jessica disse:

O emprego do meu marido foi uma oportunidade de mudança para uma região mais rural. Pedimos a Deus para esclarecer se íamos ou ficávamos. Ele respondeu às nossas orações quando a nossa casa foi vendida três dias depois do anúncio. Sabíamos também que o novo emprego possibilitaria que a situação do meu marido melhorasse.

Planejávamos alugar uma casa, mas então a minha mãe nos avisou sobre uma casa à venda com TUDO o que queríamos — dois hectares de terra, piscina, varanda ao redor da casa, porta de entrada vermelha e lugares secretos construídos atrás de armários nos quais os meninos podiam brincar. Achamos que era o lugar dos nossos sonhos.

No entanto, tive dificuldade em me adaptar. Amamos a paisagem rural, mas a situação geral não era o que imaginei. Sentia-me muito isolada, como se as nossas raízes (todos os nossos amigos e a igreja que amávamos) fossem arrancadas de nós.

Durante esse período, fui confortada pelas palavras do cântico "Deus eterno", baseado em Isaías 40:31: "Mas aqueles que esperam no SENHOR renovam as suas forças." Essa continuou a ser a minha oração diária, em tudo — que a minha força aumentasse enquanto esperava que o Senhor nos levasse de volta para casa.

Certo dia, em uma conversa desvairada por telefone com minha melhor amiga, disse: "Queria que esta casa pegasse fogo. Assim, não teríamos de nos preocupar em vendê-la e poderíamos voltar para casa." Rememorando, percebo agora que o Senhor tinha plantado essa semente na minha mente a fim de me preparar para o que estava por vir. Ele fez isso mesmo com a minha atitude inadequada.

No dia depois do Natal, estávamos no meio de uma troca de visitas. O meu pai e a minha irmã tinham acabado de sair de casa, e os meus sogros e o restante da família do meu marido estavam a caminho.

Sempre tínhamos sido muito disciplinados quanto aos dois meninos dormirem nos seus próprios quartos para evitar problemas na

---

-gods-perfect-will-versus-his-permissive-will.

hora de ir para a cama. No entanto, naquele dia, os dois meninos estavam doentes, portanto não estavam dormindo lá. O nosso filho mais novo estava acordado lá embaixo, na sala de estar, enquanto o mais velho estava com quarenta graus de febre e por isso o deixamos dormir no sofá do nosso quarto.

"Boom!" Subitamente ouvimos uma explosão, e a luz apagou. O meu marido foi à garagem dar uma olhada na caixa de força. As chamas já estavam subindo pela parede e chegando ao teto. Presumimos que o fogo tinha começado na caixa de eletricidade, o que foi confirmado mais tarde.

— Ligue para a emergência. Pegue os meninos — gritou ele para mim.

Telefonei para a emergência e agarrei os dois meninos, o meu casaco e a minha bolsa. Desci para a estrada, o que demandava uma boa caminhada, já que vivíamos em uma colina na floresta.

Os meninos tinham ganhado uma filhotinha de labrador do Papai Noel no Natal. Ela ficou aterrorizada com o fogo, por isso não nos seguiu. Não conseguimos encontrá-la porque estávamos tentando fugir da casa quando as janelas explodiram.

Telefonei para os nossos pais e para os nossos familiares a fim de comunicá-los sobre a situação. Finalmente, a ambulância e os bombeiros chegaram. Por causa do vento forte, os bombeiros não conseguiram se concentrar imediatamente na casa. Eles tinham de proteger a vizinhança e molhar o chão em torno da casa. Nós nos refugiamos na ambulância, e os meninos foram examinados para confirmarmos se estavam bem.

O dia estava quente o suficiente para ficarmos do lado de fora, mas, quando o segundo andar da nossa casa começou a cair sobre o primeiro, resolvi ficar na ambulância. Não queria mais ver aquilo.

Para ser honesta, não me importava de fato com todas as coisas materiais que perdemos, mas orei pela segurança da nossa filhotinha. E tentei animar os meninos:

— Bem, já que nosso carro explodiu na garagem, acho que compraremos uma minivan com portas automáticas.

De repente, ouvimos o rádio estalar. Uma mãe desesperada tinha telefonado para a emergência a fim de pedir ajuda; o seu filho de dois anos tinha parado de respirar no meio da soneca noturna.

Nesse momento, senti o mundo material mudar à medida que Deus abria os meus olhos para a realidade da nossa situação. Tudo caiu aos pedaços. O meu marido e eu estávamos seguros. Os dois meninos estavam nos nossos braços. E percebi que tudo o mais não tinha a menor importância.

Os braços poderosos da proteção de Deus nos rodearam naquele dia. Embora ele tenha permitido que as nossas posses mundanas e relíquias de família tenham se incendiado e virassem cinzas, eu sabia que ele estava no controle. E sei que desejava a minha família sob a sua proteção e sob a sua orientação.

Uma vez que o fogo foi apagado, pudemos levantar e ver o que tinha sobrado. Não muito — muitas cinzas e alguns pedaços da parede e da escada. O nosso quarto ainda estava ali, de certa forma. Os bombeiros conseguiram tirar a antiga arca de louça da bisavó do meu marido com a nossa louça ainda intacta. Encontraram uma Bíblia com as bordas douradas enegrecidas, um computador com a maioria das nossas fotos e uma passagem bíblica emoldurada que dizia: "'Porque sou eu que conheço os planos que tenho para vocês', diz o SENHOR, '[...] planos de dar-lhes esperança e um futuro'" (Jeremias 29:11).

Soube, ao ver aquela passagem bíblica e depois durante o processo de perda pelas nossas posses mundanas, que o Senhor nos protegeria e nos manteria salvos. Ele até nos devolveu a nossa cachorrinha — ela tinha corrido para a casa do vizinho e esperou na porta dos fundos até ser resgatada. Choramos quando o vizinho a trouxe de volta para nós. Ficamos tão agradecidos pela sua vida que a perda de tudo o mais não importava.

Claro que às vezes ainda quero algumas das coisas materiais que perdemos no incêndio e sinto falta delas. Quero os vídeos caseiros dos meninos. Quero as mobílias de gerações antigas das nossas famílias. Quero as minhas colchas feitas à mão que a minha avó e a minha bisavó fizeram para mim com tanto amor.

Acima de tudo, ansiava por encontrar nas cinzas algo que meus dois meninos tinham usado quando eram bebês. Disse a Deus:

— Senhor, consigo deixar tudo o mais ir se o Senhor puder me dar apenas uma coisinha, não importa o que seja, apenas uma *coisinha* que os meus dois bebês usaram.

Voltamos para a casa e andamos pela floresta procurando por algo.

Finalmente, abri o casco da nossa secadora de roupa que estava no que costumava ser a nossa varanda dos fundos e encontrei um lençol de berço que comprei quando soube que estava grávida do meu primeiro filho. Esse foi um verdadeiro milagre!

O Senhor foi muito fiel em responder às nossas orações uma vez depois da outra. Ele fez com que sua presença fosse conhecida tanto nas pequenas quanto nas grandes coisas. Agora a nossa família se apega à seguinte passagem, sabendo que ele sempre proverá para nós:

> "Quando você atravessar as águas, eu estarei com você; quando você atravessar os rios, eles não o encobrirão. Quando você andar através do fogo, não se queimará; as chamas não o deixarão em brasas. Pois eu sou o Senhor, o seu Deus, o Santo de Israel, o seu Salvador." (Isaías 43:2-3)

Depois do incêndio, Jessica e a família voltaram para a sua cidade natal e se reuniram de novo à sua igreja e aos seus amigos.

Deus, na sua terna compaixão, possui um profundo amor pessoal por nós. Ele quer que o conheçamos. Ele escolheu revelar a si mesmo e a sua Palavra para nós; não o buscamos. Romanos 3:10-11 afirma:

> Não há nenhum justo, nem um sequer;
> não há ninguém que entenda,
> ninguém que busque a Deus.

Às vezes tratamos a "vontade de Deus" como se fosse a misteriosa peça do quebra-cabeça que botaria todos os aspectos da nossa vida no lugar. Nós a caçamos como se ela fosse um tesouro material que Deus esconde de nós, como se fosse um ovo de Páscoa, e que temos de passar o resto da vida tentando encontrar. Mas não precisamos disso. Achamos que, ao descobrir a vontade de Deus, os nossos problemas acabarão, encontraremos a resposta para as nossas perguntas e enfim viveremos o "conto de fadas". Mas essa não é a realidade.

Às vezes até desperdiçamos tempo e falhamos em fazer a vontade de Deus hoje porque estamos muito preocupados em imaginar qual será a vontade dele para nós e para os nossos filhos mais adiante na estrada da vida.

Em vez disso, reivindique e repita esta verdade para si mesma: "Quando caminho com Deus, ele revela a sua vontade para mim e para os meus filhos no momento certo." Quanto mais estudo a Palavra de Deus, oro as Escrituras e passo tempo com pessoas tementes a ele, mais descubro que não é de forma alguma difícil saber a sua vontade. Ele nunca quis isso. Salmos 98:2 declara: "O Senhor anunciou a sua vitória e *revelou a sua justiça* às nações" (grifo da autora).

A minha regra prática é que, se o Senhor não me revelar claramente qual deve ser o meu próximo passo, espero e oro por isso. Não tomo uma decisão até ter consciência dele. Raramente, as circunstâncias exigem de mim uma escolha antes de eu sentir que recebi a orientação do Senhor. Nesse caso, oro sobre o assunto e discuto sobre ele com o meu marido, com a minha mãe ou com outra amiga de confiança. Também peso os prós e os contras de cada opção. Às vezes as escrevo e também oro sobre elas.

A seguir, escolho melhor a opção, a que mais agrada ao Senhor. Durante o processo de tomada de decisão, oro com fervor a Deus para que me revele se essa é a porta certa ou a errada. Quando começo a seguir um caminho, oro a Deus para fechar rapidamente a porta e bloquear o caminho se esse passo não representar sua vontade para mim e para os meus filhos.

Tiago 1:5 afirma: "Se algum de vocês tem falta de sabedoria, peça-a a Deus, que a todos dá livremente, de boa vontade; e lhe será concedida." Quando nós e os nossos filhos nos aproximamos de cada cruzamento crítico da vida, temos de esperar e orar até Deus acender o semáforo. Ele pode dar "a luz verde", um sinal para "seguir em frente" ou pode lhe enviar outro recado, "a luz amarela", para que "tenha cuidado".

Por exemplo, o seu filho, já adulto, está interessado em mudar de emprego, mas não tem certeza se deve deixar o atual. Ele pode pesquisar várias opções de trabalho e fazer outras entrevistas enquanto ora a Deus para abrir portas ou fechá-las. A luz amarela pode simplesmente significar que Deus ainda não escolheu revelar a sua vontade para essa situação, mas mostrará a você e ao seu filho o que fazer no momento certo. Se nenhuma porta se abrir, talvez ficar no emprego atual seja a decisão certa para o momento.

Deus, às vezes, chama a nossa atenção com "a luz vermelha", um sinal óbvio mesmo em situações em que achávamos que ele estava nos guiando em um caminho diferente. Por exemplo, os meus filhos frequentam a SonShine School, um excelente programa de pré-escola da nossa igreja. A certa altura, pelo fato de o programa ser só duas vezes por semana, pesquisei outros e orei sobre a mudança. O meu marido e eu sentimos que eu precisava de mais tempo para me dedicar ao meu ministério de escrita. No entanto, Deus fechou todas as outras portas e deixou claro que tínhamos de manter as crianças onde estavam.

Você, como mãe, tem um ponto de vista único a partir do qual pode determinar os dons e as habilidades dos seus filhos. O plano de Deus para a vida, para a carreira e para o cônjuge deles estará ligado, com frequência, aos dons inatos e à personalidade deles. Procure as inclinações deles, concedidas por Deus, e os encoraje nisso.

Scott Adams, criador da história em quadrinhos *Dilbert*, compartilha uma história que demonstra o poder transformador das palavras positivas. Ele escreveu:

> Quando tentava me tornar um cartunista profissional, enviei meu portfólio para um editor de história em quadrinhos um atrás do outro — e recebi uma rejeição atrás da outra. Um editor chegou até a me ligar para sugerir que eu fizesse aulas de artes.
>
> Então, Sarah Gillespie, editora na United Media e uma das melhores especialistas na área, telefonou para me oferecer um contrato. De início, não acreditei nela. Perguntei se tinha de mudar o meu estilo, conseguir um parceiro — ou aprender a desenhar. Mas ela acreditava que já estava bom o bastante para ser um cartunista profissional conhecido por todo o país.
>
> A confiança dela mudou completamente as minhas referências. Alterou o meu pensamento sobre as minhas próprias habilidades. Talvez pareça bizarro, mas a partir do momento em que falei com ela ao telefone, passei a desenhar melhor. É possível ver uma melhora acentuada na qualidade dos quadrinhos que desenhei depois daquela conversa.[63]

O seu encorajamento, como mãe, pode ajudar o seu filho a "desenhar melhor". A suas orações e a sua crença no talento dos seus filhos podem ser suficientes para transformar a perspectiva deles e

[63] ADAMS, Scott cf. MUOIO, Anna. "My Greatest Lesson: Unit of One". *Fast Company*, 31 mai. 1998. Disponível em: http://www.fastcompany.com/magazine/15/one.html.

até mesmo melhorar significativamente suas habilidades técnicas e criativas.

Algumas de nós, minhas leitoras, temos filhos que se afastam do Senhor. Quando eles se tornam pródigos, uma das orações mais difíceis de fazer é: "Deus, faço o que for necessário para salvar a vida do meu filho [ou filha]. Faça o que for necessário para trazê-lo[a] de volta ao Senhor. Mas, por favor, no processo, derrame a sua misericórdia e graça no meu bebê. Abençoe o meu filho e o proteja."

David Sheff, no seu livro *Querido menino*,[64] registra a sua comovente jornada ao longo da viagem do seu filho Nic, dependente de drogas, na difícil e instável estrada da recuperação. Antes, Nic era um rapaz esperto, divertido e de boa aparência, um atleta do time principal e estudante honroso e adorado pelo irmão e pela irmã mais novos. Mas, depois de se tornar viciado, ele recorreu à mentira e ao roubo, a sua saúde se deteriorou e ele terminou destituído, vivendo nas ruas.

Durante a dependência e a recuperação de Nic, David e a esposa, Karen, passaram a frequentar as reuniões dos Alcoólicos Anônimos (com o programa de 12 passos para familiares e amigos de dependentes em drogas e álcool). David escreveu: "Eles dizem: 'Abra mão e deixe Deus operar.' E os três Cs que ajudam mesmo se nem sempre acreditar neles: 'Você não causou isso, não pode controlar isso e não pode curar isso.' Mas não importa o que eles dizem, parte de mim acredita que a culpa é minha. As pessoas de fora [...] podem me criticar. Podem me culpar. Nic pode fazer isso. Mas nada do que eles digam ou façam é pior do que eu mesmo faço comigo todos os dias. [...] 'Meu filho se foi', digo. 'Não sei onde ele está.' Não consigo encontrar outra palavra depois disso.

Então uma mulher, com voz tremida, disse que a sua filha foi para a cadeia para cumprir uma pena de até dois anos após uma apreensão de drogas. Ela chorava e disse em seguida: 'Estou feliz. Sei onde ela está. Sei que está viva. No último ano, estávamos tão entusiasmados por ela ter se matriculado em Harvard. Agora, estou aliviada por ela estar na cadeia.' Penso: *Então é aí que chegamos [...], alguns de nós estão em um lugar em que a boa notícia é que os nossos filhos estão na cadeia.*"[65]

---

[64] Rio de Janeiro: Globo, s.d.

[65] SHEFF, David. *Beautiful Boy*. Nova York: Houghton Mifflin Harcourt, 2009, p. 173-76.

O sofrimento, os padrões destrutivos do pecado, os maus hábitos e os vícios não são a vontade perfeita de Deus para nós nem para os nossos filhos. Ele não provoca o mal (nem pode fazer isso); ele não *faz* essas coisas acontecerem, mas *permite* que aconteçam. Ele usa esses hábitos prejudiciais para trazer um filho rebelde (e também os pais desse filho) ao ponto do arrependimento. Ele pode redimir até mesmo as situações mais aterradoras. Já o vi fazer isso!

Em um sermão, o pastor Tony Evans disse: "Você só sabe que Jesus é tudo de que precisa quando ele é tudo o que tem." Uma das orações mais dolorosas (mas necessária) que uma mãe pode fazer é esta: "Senhor, deixe o meu filho [ou filha] chegar ao fundo do poço para que perceba que precisa do Senhor. Envie os seus santos anjos para proteger a vida dele. Derrame a sua misericórdia nele e traga-o a uma situação que produza arrependimento. Restaure-o com inteireza e cura e o devolva para mim."

Se você tem filhos jovens, ore a Deus para lhe revelar desde cedo qual caminho eles devem seguir na vida. Ore ao Senhor para desenvolver em cada um deles um coração que ama, obedece e busca ao Senhor. Ore para que cada um deles mantenha um espírito receptivo e prestador de contas. Peça todos os dias ao Senhor para manter os seus filhos no centro da sua vontade perfeita e ajudá-los a nunca se desviar.

Se o seu filho deixou o "aprisco", como a ovelha que se separou das outras 99, ore para o Senhor orientar a sua preciosa ovelha perdida de volta ao abrigo da sua proteção divina. Peça-lhe: "Senhor, por favor, derrame o seu amor da aliança e terna compaixão em mim e nos meus filhos." A sua Palavra promete: "O Senhor [...] não quer[...] que ninguém pereça, mas que todos cheguem ao arrependimento" (2Pedro 3:9).

Oração de hoje

Pai celestial, obrigada por ser um Deus que escolhe se revelar para nós. Louvo-o hoje pela sua terna compaixão comigo e com os meus filhos. Obrigada por ser digno de confiança; sei que posso acreditar no Senhor para revelar a sua vontade para mim da forma e no momento certo. Dê-me paciência e não me deixe me preocupar com as coisas que não posso controlar nem mudar. Oro para que o Senhor mantenha meus filhos salvos hoje. Mantenha-os no cerne da sua vontade. Ajude-me a discernir os dons e os caminhos da vida que o Senhor destinou para eles. Dê-me sabedoria quanto a como ensiná-los e encorajá-los quando tomam decisões importantes na vida. Conceda-me as palavras para conduzi-los de volta ao caminho reto e estreito se eles começarem a se desviar. Dê-lhes um coração rápido para se arrepender; dê-lhes o desejo de voltar a fazer o que é direito aos seus olhos, Senhor. Livre-os de perseguir as paixões pecaminosas que levam à morte e à destruição. Ajude-me a ensiná-los a conhecer a sua Palavra e a segui-la. Não permita que eles sejam "destruídos por falta de conhecimento". Ajude a mim e a eles, por meio do poder do Espírito Santo, a discernir a sua vontade e a caminhar nela todos os dias com alegria e obediência. Em nome de Jesus, amém.

A espada do Espírito

"Não se amoldem ao padrão deste mundo, mas transformem-se pela renovação da sua mente, para que sejam capazes de experimentar e comprovar a boa, agradável e perfeita vontade de Deus" (Romanos 12:2).

"Tenho grande alegria em fazer a tua vontade, ó meu Deus; a tua lei está no fundo do meu coração" (Salmos 40:8).

"O Deus de toda a graça, que os chamou para a sua glória eterna em Cristo Jesus, depois de terem sofrido durante pouco de tempo, os restaurará, os confirmará, lhes dará forças e os porá sobre firmes alicerces" (1Pedro 5:10).

"A ele quis Deus dar a conhecer entre os gentios a gloriosa riqueza deste mistério, que é Cristo em vocês, a esperança da glória" (Colossenses 1:27).

Perguntas para a discussão em um pequeno grupo

1. Antes de ler este capítulo, qual era o seu entendimento sobre a vontade de Deus? Achava que era difícil descobri-la?
2. Como acha que responderia se alguém lhe perguntasse: "Qual é a vontade de Deus para a sua vida neste momento? Para a vida de seu marido [se for casada]? Para cada um dos seus filhos?"
3. Em que áreas você sente que Deus está lhe dando hoje a luz verde, amarela ou vermelha? Que indicadores você tem recebido para lhe mostrar isso?
4. Como a discussão sobre a vontade ativa e a vontade permissiva de Deus a ajudou? Qual a diferença entre as duas? Como isso influencia o seu entendimento do relacionamento e da caminhada dos seus filhos com Deus?
5. Você está lutando com algum filho pródigo ou que está se afastando do Senhor? Se esse for o caso, como pode mudar as suas orações pelo seu filho de forma a refletir o seu entendimento sobre a vontade ativa e passiva de Deus? O que acha que Deus poderia fazer para gerar arrependimento, um coração e um estilo de vida transformados no seu filho? Ore para isso hoje.

Capítulo 14

Viva com uma perspectiva espiritual

A pessoa que vive pela fé tem de prosseguir com evidência incompleta, confiando de antemão no que só fará sentido no reverso.

Philip Yancey[66]

Antes de David e eu nos casarmos, eu ensinava piano em Park Cities, na região de Dallas. Certo dia, parei no OfficeMax para comprar alguns materiais de escritório e peguei algumas etiquetas adesivas divertidas como recompensa para os meus alunos. No caixa, a menina disse:

— Oh, você deve ser professora.

— Sou professora de piano — respondi.

— Você *é* mesmo? — exclamou ela. — Com *esses* dedinhos curtos e grossos?

Eu a encarei e depois olhei surpresa para as minhas mãos. Eu tinha dedos "pequenos e gordos"? Nunca tinha notado esse detalhe. Minha mãe tinha me ensinado a tocar piano quando eu tinha cinco anos. Graças a sua bondade, ela nunca me disse: "Sinto muito, querida, seus dedos são muito curtos e grossos, nunca vai conseguir tocar piano!"

A nossa perspectiva positiva e suplicante sobre a vida, como Mães Guerreiras de Oração, ajuda os nossos filhos a viver à luz da realidade do Reino. Ajudamos os nossos filhos a estabelecer as suas prioridades e a perseguir as suas paixões. Se orar é a sua paixão, também se torna a deles.

---

[66] http://www.goodreads.com/quotes/show/195520.

É provável que o nosso melhor exemplo de uma pessoa que orava sem cessar (veja 1Tessalonicenses 5:17) e viveu com uma perspectiva radicalmente eterna é o apóstolo Paulo. Ele escreveu: "Agora, pois, vemos apenas um reflexo obscuro, como em espelho; mas, então, veremos face a face. Agora conheço em parte; então, conhecerei plenamente"; e: "Para mim o viver é Cristo e o morrer é lucro" (1Coríntios 13:12; Filipenses 1:21). Ele vivia cada dia com uma esperança ancorada no céu, não na terra. Para ele, o sofrimento e os prazeres deste mundo não eram nada comparados com a alegria de conhecer a Cristo e "o poder da sua ressurreição e a participação em seus sofrimentos" (Filipenses 3:10).

Nosso objetivo, como Mães Guerreiras de Oração, é mostrar aos nossos filhos que a nossa esperança está enraizada e estabelecida em Cristo. Ela não está fundamentada em nada terreno. O sofrimento não pode afetá-la. As pessoas não podem roubá-la. Satanás não pode destruí-la. A morte física não pode atingi-la. Hebreus 6:19 diz: "Temos esta esperança como âncora da alma, firme e segura, a qual adentra o santuário interior, por trás do véu."

A minha mãe, Dorothy, ensinou-me lições extraordinárias sobre a fé e sobre a esperança eternas. O seu primogênito (meu irmão mais velho, Jay) morreu aos quatro anos por causa das complicações de diabetes juvenil e de uma condição denominada síndrome de Reye. Ele morreu apenas algumas semanas antes de a minha irmã mais velha Deborah nascer.

A minha mãe, a mais fiel Mãe Guerreira de Oração que conheço, disse:

— Jay morreu no dia 11 de dezembro, pouco antes do Natal. Já tínhamos comprado os presentes dele, incluindo um chapéu e um par de botas de *cowboy* de couro vermelho. Quando chegamos do hospital, fui ao armário do quarto e vi as botinhas. Caí no chão e chorei. Não há palavras para descrever o desespero que tomou conta de mim quando percebi que o meu único menininho nunca usaria aquelas botas. O meu interior parecia um abismo tenebroso.

Ela continuou:

— Na época, não era cristã e não conhecia o princípio espiritual da esperança. Não sabia como continuar depois do que tinha acontecido. Mas aquela situação me levou a buscar a Deus. Sabia que não poderia enfrentar a vida sozinha, sem Jay.

— O que você aprendeu com essa experiência? — perguntei-lhe.

— Quando as provações tocam a minha vida, sei que há um motivo — respondeu e prosseguiu com a sua explicação. — Talvez eu não saiba qual seja o motivo, mas Deus sabe. Por isso não pergunto: "Por quê?" e sim "Como, Senhor? Como posso atravessar essa tempestade? Qual deve ser meu primeiro passo?" Ele nos dá esperança mesmo na noite mais tenebrosa. Ele tem um propósito para tudo; o Senhor redime todas as provações que enfrentamos. Aprendi a louvá-lo independentemente do que aconteça porque sei que ele é fiel.

Originalmente, a minha mãe e o meu pai queriam apenas dois filhos: Jay e a minha irmã mais velha, Deborah, mas a morte dele fez meus pais quererem mais filhos. Então, tiveram a mim, o meu irmão Doug, a minha irmã Colleen e a minha irmã Cecília. Hoje todos nós estamos casados e envolvidos na igreja e também em outros ministérios cristãos. Deus redimiu uma situação aparentemente terrível e a usou para influenciar muitas vidas para a propagação do evangelho.

Além disso, a morte de Jay afetou cada um de nós, seus irmãos. Embora não o tenha conhecido, penso nele todos os dias. O céu tem uma promessa maior para mim porque sei que o encontrarei lá. E valorizo ainda mais as dádivas do meu filho e da minha filha porque reconheço que poderiam ser tirados de mim a qualquer momento.

O meu entendimento de Deus e o meu amor pelo Senhor floresceram exponencialmente depois que tive filhos. Pela primeira vez percebi que os meus pais me amavam independentemente do que eu fizesse. Isso transformou a minha percepção de Deus, pois passei a vê-lo como misericordioso, em vez de austero. Acreditava, tendo crescido em uma família com altas expectativas, que seria amada, admirada e elogiada contanto que fizesse o que se esperava de mim: obedecer aos meus pais, tirar boas notas, não me meter em confusão e assim por diante.

Depois de ter filhos, percebi que os meus pais me amavam pelo que sou, não pelo que fazia (ou não fazia). E também entendi que me amavam por causa de quem *eles* eram. O caráter deles os levou a me amar, da mesma maneira como o caráter de Deus o leva a nos amar.

E quanto a você? A sua casa é um lugar de graça ou uma arena de dramas? Os seus filhos sabem que você os ama quer eles passem de ano, quer repitam; quer sejam escolhidos para o time, quer sejam cortados dele? Você os encoraja e os conforta quando eles enfrentam os maiores desapontamentos — e até mesmo quando eles a desapontam? Ore hoje: "Senhor, ajude-me a modelar graça e esperança para os meus filhos. Proveja-me com maneiras concretas de demonstrar o meu amor incondicional por eles. Ajude-me a ser boa e prestativa mesmo quando eles erram. Faça com que eu seja um reflexo do seu amor por eles."

A oração de progresso radical exige que você mude radicalmente as suas prioridades. A oração para silenciar Satanás, do tipo que derruba as fortalezas do demônio e ilumina o caminho de Deus para o seu filho, exige tempo e energia. Romper as cadeias de uma perspectiva terrena pode exigir que você sacrifique horas de sono e outros prazeres a fim de chegar à prática da questão com Deus.

Steven Curtis Chapman, artista cristão da área musical, e a esposa, Mary, experimentaram uma mudança na sua perspectiva espiritual quando a filha Maria foi atropelada pelo filho mais velho deles, Will.

Maria e as irmãs estavam brincando no quintal quando Mary ouviu gritos terríveis. Ela escreveu:

> — Mamãe! — gritou Shaoey — Will atropelou Maria!
>
> Corri os poucos passos até a garagem e contornei o canto em direção à garagem. Will estava segurando Maria, chorando e pedindo para ela acordar. Os dois estavam cobertos de sangue.
>
> — Telefone para a emergência! — gritei — Chame o seu pai.
>
> Peguei Maria dos braços dele. Ela estava mole, como se dormisse. [...] Tinha uma poça de sangue de cerca de um metro de diâmetro na entrada da garagem. O sangue escorria dos seus ouvidos, do nariz e da boca. Tentei limpar a boca e comecei a fazer respiração boca a boca. Mas ela não estava reagindo.
>
> Will estava em choque. Ele não conseguia ligar para a emergência.
>
> Steven veio do canto de trás da casa e me viu coberta de sangue.
>
> — Will a atropelou! — gritei.
>
> Ele assumiu a respiração boca a boca enquanto eu corria até a cozinha e telefonava para a emergência.
>
> — A primeira coisa que vocês precisam fazer é enviar um helicóptero! — gritei. — A minha menininha foi atropelada e está realmente mal... Meu marido está cuidando dela... É uma situação de trauma

e *precisamos* do helicóptero. Por favor, acredite, traga o helicóptero! Ajude-me, meu Deus, por favor, ajude-me!

A ambulância chegou, eles carregaram Maria na maca enquanto tentavam recuperar os sinais vitais dela. O helicóptero desceu no gramado de um vizinho mais adiante na rua.

Enquanto seguíamos a ambulância pela rua, Steven gritou o mais alto que conseguiu:

— Will Franklin! Lembre-se de que o seu pai o ama![67]

Um amigo levou os Chapman para o Vanderbilt Hospital, em Nashville, seguindo o helicóptero que levava Maria. O trânsito da hora do *rush* estava reduzido a uma insuportável lentidão. Quando Steven e Mary finalmente chegaram ao pronto-socorro, ela viu uma amiga enrolada como uma bola no chão soluçando. Enquanto ela e Steven atravessavam o pronto-socorro, muitos membros da família deles e amigos estavam ali, olhando-os assustados. Um funcionário do hospital veio até eles e disse calmamente:

— Vocês precisam vir comigo por aqui.

Mary gritou:

— Não, não, não quero ir por aí. Por favor, não!

Os médicos e as enfermeiras levaram os Chapman para uma pequena sala depois do pronto-socorro na qual disseram que, apesar de terem feito tudo o que podiam, Maria tinha morrido. Depois eles permitiram que os Chapman entrassem na sala reservada para os doentes que sofreram algum trauma, onde Maria estava deitada como se dormisse. A única marca nela era uma pequena abrasão do lado da testa.

— Ah, Deus! — gritou Steve. — Respire, Maria! Por favor, traga-a de volta para a vida!

Ele sabia que Deus podia fazer isso se quisesse.

Mary também sabia que Deus tinha curado Maria, mas não da maneira como desejariam.

— Temos de deixá-la ir, querido — sussurrou ela. — Está na hora de ela partir.

Mary escreveu:

[67] CHAPMAN, *Choosing to See*, p. 141-44. (Veja capítulo 6, n. 3.)

De alguma maneira naquele momento impensável ficou claro para Steve e para mim que estávamos de pé à porta do céu, pondo a nossa menininha com cuidado nos braços de Jesus, confiando desesperadamente que ela ficaria segura ali até que pudéssemos nos juntar a ela.

Ouvi a voz de Steven explicando para as pessoas ali na sala que esse era um momento eterno.

— A única coisa que posso dizer para honrar a vida da minha menininha e a nossa terrível perda neste momento é lhe pedir, por favor, que não se esqueça disso. [...] Todos nós ficaremos aqui um dia e enfrentaremos a eternidade. Se você não conhece aquele que pode lhe dar a vida eterna, seu nome é Jesus. [...] Você precisa conhecê-lo e precisa realmente se encontrar com a minha menininha no céu. [...] ela é maravilhosa.

Steven e eu nos inclinamos e beijamos a testa de Maria. Acariciei o seu rosto e pus o cabelo dela atrás da orelha uma última vez. A seguir, saímos para nos encontrar com os nossos amigos e começar a nossa longa jornada de luto e espera até podermos nós mesmos passar pela porta do céu.[68]

Três meses após a morte de Maria, os Chapman deram a sua primeira entrevista ao vivo na televisão sobre o incidente no programa "Good Morning America" [Bom dia, América]. O extraordinário testemunho deles e a sua escolha de louvar a Deus mesmo em face da devastadora perda que sofreram trouxeram esperança a milhares de pessoas, incitando muitos a abraçar o evangelho. O Senhor usou a fidelidade deles em face do intenso pesar e sofrimento para conduzir milhares de pessoas para o seu Reino eterno.

Deus vê o seu sofrimento e as lutas pessoais que você tem com os seus próprios filhos. Venha a ele de braços abertos e deixe-o transformar as suas provações em triunfo. Paulo escreveu em 1Tessalonicenses 4:13: "Irmãos, não queremos que vocês sejam ignorantes quanto aos que dormem, para que não se entristeçam como os outros que não têm esperança." Mesmo no seu pesar, *você sempre tem esperança* por intermédio do poder de Cristo e da sua ressurreição.

---

[68] Ibid., p. 145-47.

Oração de hoje

Pai celestial, manter uma perspectiva espiritual sobre esta terra é uma das coisas mais difíceis que poderíamos fazer. Por favor, impeça-me de me afogar nos meus problemas e dúvidas. Ajude-me a permanecer ancorada no Senhor. Escolho olhar para Cristo como a minha esperança eterna, aquele que está sentado nos lugares celestiais. Segure a mim e aos meus filhos com as suas mãos firmes. Permita que eu seja uma boia para eles durante os momentos de tormenta. Proteja todos nós e não permita que naufraguemos. Ajude-me a ser alguém que cria uma visão e perspectiva para os meus filhos, sempre os ajudando a ver além dos limites das suas circunstâncias finitas. Ajude-me a ver e apreciar o melhor neles e nos outros. Ajude todos nós a perceber que o sofrimento e o prazer deste mundo são temporários. Mantenha-nos focados na esperança que não nos desaponta. Obrigada por nos permitir prantear com esperança. Em nome de Jesus, amém.

A espada do Espírito

"Apeguemo-nos com firmeza à esperança que professamos, pois aquele que prometeu é fiel. E consideremo-nos uns aos outros para incentivar-nos ao amor e às boas obras. Não deixemos de reunir-nos como igreja, segundo o costume de alguns, mas encorajemo-nos uns aos outros, ainda mais quando vocês veem que se aproxima o Dia" (Hebreus 10:23-25).

"Mas o que para mim era lucro, passei a considerar perda, por causa de Cristo. Mais do que isso, considero tudo como perda, comparado com a suprema grandeza do conhecimento de Cristo Jesus, meu Senhor, por cuja causa perdi todas as coisas. Eu as considero como esterco para poder ganhar Cristo e ser encontrado nele, não tendo a minha própria justiça que procede da lei, mas a que vem mediante a fé em Cristo, a justiça que procede de Deus e se baseia na fé" (Filipenses 3:7-9).

"Não só isso, mas também nos gloriamos nas tribulações, porque sabemos que a tribulação produz perseverança; a perseverança, um caráter aprovado; e o caráter aprovado, esperança. E a esperança não nos decepciona, porque Deus derramou seu amor em nossos corações, por meio do Espírito Santo que ele nos concedeu" (Romanos 5:3-5).

Perguntas para a discussão em um pequeno grupo

1. Qual a maior perda que já experimentou? Como isso a afetou como mãe? Agora, quando rememora, consegue ver alguma coisa boa que tenha resultado dessa experiência? Se esse for o caso, o que é? Como você mudou em consequência da sua perda?
2. Como a maternidade transformou a sua percepção em relação aos seus pais? Como ela mudou e expandiu a sua percepção de Deus?
3. Em que situações Deus pode estar pedindo para você "confiar de antemão no que só fará sentido no reverso"?
4. Sente alegria e orgulho no seu papel de mãe? Para você, qual é a maior bênção da maternidade?
5. Se soubesse que só tem alguns dias com cada um dos seus filhos, que atividades você faria com eles? O que lhes diria? Como demonstraria o quanto os ama, os valoriza e os preza? Agora, vá e faça essas coisas.

Capítulo 15

Modele o perdão e a graça

Perdoar é libertar um prisioneiro e descobrir que o prisioneiro era você.

Lewis Smedes[69]

DURANTE A CONFERÊNCIA BRITÂNICA SOBRE RELIGIÕES comparativas, especialistas do mundo todo debateram que crença, se é que houvesse alguma, encontrava-se unicamente na fé cristã. Eles começaram eliminando possibilidades. Encarnação? Outras religiões tinham versões diferentes de deuses aparecendo na forma humana. Ressurreição? Outras religiões também tinham relatos da volta da morte. O debate continuou durante algum tempo até que C.S. Lewis entrou na sala.

— Sobre o que é a discussão? — perguntou ele.

Um dos homens disse a Lewis que os seus colegas estavam discutindo a contribuição única do cristianismo quando comparado com outras religiões.

— Ora, isso é fácil. É a graça — respondeu Lewis.[70]

Só Deus nos oferece graça, em vez de condenação. Só Deus forneceu um meio para o nosso mediador, Jesus Cristo, perdoar os nossos pecados quando mereceríamos julgamento. Ele nos jogou a corda de salvação da oração para que pudéssemos viver em comunhão com ele.

Você tinha percebido que *só o cristianismo* oferece fé fundamentada na salvação instituída sobre a obra acabada de Jesus Cristo? Jesus, ao

[69] http://thinkexist.com/quotations/forgiveness.

[70] YANCEY, Philip. *What's So Amazing About Grace?* Grand Rapids: Zondervan, 1997, p. 45.

ressuscitar, interrompeu a maldição do pecado e da morte. Efésios 2:8-9 declara: "Pois vocês são salvos pela graça, por meio da fé, e isto não vem de vocês, é dom de Deus; não por obras, para que ninguém se glorie." As nossas boas obras não "conquistam" a salvação para nós, nem a vida eterna, nem um lugar no céu. Só a nossa aceitação da graça e da salvação de Deus por intermédio de Jesus Cristo pode fazer isso.

Todos os outros sistemas religiosos são fundamentados em obras; eles não podem oferecer nenhuma garantia de salvação. Nas outras religiões, você nunca tem certeza se fez coisas boas suficientes para "cancelar" o seu pecado ou as suas más obras. Como resultado disso, você nunca tem certeza se está salva ou não. Alguns desses sistemas religiosos usam o medo, a culpa, a vergonha e a falta de conhecimento a fim de assustar e manipular as pessoas para obedecer às regras religiosas deles. Nesses sistemas, não se encontra o conceito de graça.

Jesus, quando morreu na cruz e ressuscitou, quebrou as algemas impostas por todos os sistemas religiosos que não têm a graça. E, por nosso Deus ser um Deus de perdão e de graça, podemos ser mães da graça.

A fim de abençoar os nossos filhos e modelar a semelhança com Cristo para eles, podemos cultivar uma atmosfera na nossa casa fundamentada na graça. Podemos oferecer consequências fundamentadas na graça, em vez de na condenação severa. Os fariseus, os anciãos e os escribas amavam dar a Jesus a oportunidade de condenar as pessoas, mas ele não o fazia. Quando um pecador arrependido entrava na presença de Jesus, esse era um "lugar de graça".

O quanto você se esforça para tornar a sua casa um "lugar de graça" para os seus filhos?

Admito que oferecer graça nem sempre é divertido ou fácil. Ser "justa", julgando e condenando os outros pelas suas faltas e agarrar-se a ressentimentos, pode ser muito mais fácil que presentear os outros com a bênção do perdão.

Alexander Pope, poeta inglês, escreveu: "Errar é humano, perdoar é divino."[71] A graça e o perdão, por sermos seres humanos falhos, não flui naturalmente do nosso espírito carnal. Esses atributos são dons divinos derramados sobre nós como uma chuva primaveril refrescante do Autor da vida.

---

[71] http://www.quotationspage.com/quote/29593.html.

Para mim, na maioria dos dias, a graça é parecida com a paciência. É oferecer um gesto de amor e uma palavra bondosa para os meus filhos quando sinto vontade de gritar. É limpar — mais uma vez — os restos da barra de cereal e da banana esmagada no carpete sem bater na mesma tecla: "Quantas vezes tenho de lhe dizer para não comer na sala de estar?" Minha amiga Caryn disse que ora ao longo do dia: "Deus, seja a minha paciência." Agora, muitas vezes me pego orando assim também.

Oferecemos graça e perdão aos nossos filhos porque *nos são oferecidos graça e perdão.* Nós os amamos porque *Deus nos amou primeiro.* 1João 4:10 afirma: "Nisto consiste o amor: não em que nós tenhamos amado a Deus, mas em que ele nos amou e enviou seu Filho como propiciação pelos nossos pecados."

Uma das maneiras pela qual oferecemos graça aos nossos filhos é pensar — e falar — corretamente sobre eles e sobre os desafios da maternidade que enfrentamos. Podemos, como Mães Guerreiras de Oração, levar cativo todo pensamento (e palavra) "para torná-lo obediente a Cristo", sabendo que as lutas desta vida não duram para sempre (2Coríntios 10:5).

Angela Thomas, em seu excelente livro *52 Things Kids Need from a Mom* [52 coisas que os filhos precisam de uma mãe], oferece diversas dicas divertidas e práticas para transformar a sua casa em um lugar de graça e perdão. Eis algumas delas:

- Deixe os seus filhos vê-la orando todos os dias. Melhor ainda, deixe que eles se juntem a você na oração.
- Certifique-se de tocar cada um dos seus filhos todos os dias — um agrado no ombro, um abraço, um tapinha na costas na frente da escola, um beijo de boa-noite.
- Faça elogios específicos.
- Priorize jantarem juntos, como família.
- Estabeleça limites e seja firme quanto à disciplina. Exerça a função de MÃE. Diga "não" quando for necessário.
- Cumpra as suas promessas. Se mudar os seus planos, informe isso aos seus filhos.
- Envolva os seus filhos nas doações para as pessoas menos afortunadas.

- Escolha as suas batalhas; não aponte todas as falhas dos seus filhos. Deixe de lado algumas coisas que eles fazem errado. Exiba o caráter de Cristo e dê espaço para a graça. Seja pacificadora, em vez de perfeccionista.
- Seja, de vez em quando, uma "supermãe" e faça todo o possível por eles. Planeje uma surpresa especial, uma grande festa de aniversário ou alguma outra coisa exagerada para transmitir a eles a mensagem: "Acho vocês maravilhosos!"
- Converse com eles e os ouça como se fossem pessoas fascinantes; eles são!
- Faça de Deus uma parte considerável da sua vida em família. Mostre-lhes que Deus é o número um na sua casa. Seja "praticante da palavra, e não apenas ouvinte" (Tiago 1:22).
- Deixe-os cometer erros tolos sem condená-los.
- Apresente-lhes o seu melhor amigo: Jesus.[72]

Os nossos filhos, mais que tudo nesse mundo, precisam de graça. Acredito que, quando eles olham em retrospectiva para a sua vida, o seu relacionamento conosco será mais influenciado por isso: se fomos mães que modelaram graça, em vez de rancor.

Conforme viajo e dou palestras, ao longo dos anos tive o privilégio de conhecer muitas mulheres queridas (incluindo-me) que foram feridas por um pai distante, ausente ou abusivo. Essas feridas são profundas e difíceis de superar.

Mas as mães que tiveram uma *mãe* crítica, implicante ou abusiva parecem ter dificuldades ainda maiores. O sofrimento de ter um vão no relacionamento fundamental mãe-filho, sem o poder curador de Deus por intermédio do Espírito Santo, pode ser quase insuportável. Em geral, resolver esses problemas requer anos de aconselhamento cristão sábio e de oração. Ser uma mãe saudável exige que você resolva qualquer questão pendente que tenha com os próprios pais.

Em Isaías 58, o nosso Pai celestial descreve o impressionante resultado que colhemos quando oferecemos graça e perdão aos nossos filhos e aos que nos feriram. Quando perdoamos, soltamos "as

[72] THOMAS, Angela. *52 Things Kids Need from a Mom*. Eugene, OR: Harvest House, 2011.

correntes da injustiça", desatamos "as cordas do jugo", pomos "em liberdade os oprimidos" e rompemos "todo jugo" (Isaías 58:6).

O que aconteceria na sua vida hoje se resolvesse desatar as cordas do jugo da amargura? Deus diz:

> Aí sim, a sua luz irromperá como a alvorada, e prontamente surgirá a sua cura; a sua retidão irá adiante de você, e a glória do SENHOR estará na sua retaguarda. Aí sim, você clamará ao SENHOR, e ele responderá; você gritará por socorro, e ele dirá: Aqui estou. [...] Seu povo reconstruirá as velhas ruínas e restaurará os alicerces antigos; você será chamado reparador de muros, restaurador de ruas e moradias. (Isaías 58:8-9,12)

Quero ser chamada de "reparadora de muros", e você não quer o mesmo?

Kyle Idleman, no seu livro *Not a Fan* [Não um fã], oferece um poderoso exemplo da graça. Ele escreveu:

> A minha esposa comprou um sofá branco de dois lugares para colocar na sala da nossa casa, combinando com o carpete branco. [...] Mas minha esposa decretou a lei e certificou-se de que as crianças soubessem que não podiam entrar na "sala branca".
>
> A coisa parecia estar funcionando bem até que, um dia, a minha esposa estava arrumando essa sala e descobriu um segredo que alguém estivera escondendo: uma mancha em uma das almofadas brancas do sofá. Ela me chamou na sala e me mostrou a mancha rosa de esmalte. [...] Chamamos as meninas na sala. [...] O interrogatório estava para começar, mas, quando peguei a almofada para mostrar a mancha, minha filha do meio, Morgan, se entregou. Ela se virou e subiu correndo os degraus.
>
> Fui atrás dela e a encontrei no seu *closet* com a cabeça entre os joelhos. Ouvi o seu choro. Ela não queria olhar para cima. [...] Descemos juntos a escada, e ela contou à mãe e a mim o segredo que estava guardando havia meses. Ela deixou o esmalte de unha cair e, depois, tentou limpar a almofada. Ela esfregou muito, mas a mancha só piorava.
>
> [...] Ela olhou para cima com os seus grandes olhos castanhos cheios de lágrimas e perguntou:

— Vocês ainda me amam?

A minha esposa ajoelhou-se ao lado dela no chão e sussurrou:

— *Morgan, por maior que fosse essa mancha, você não conseguiria me impedir de amá-la.*

Idleman continuou:

> A maioria de nós esconde algumas manchas. O nosso maior medo é que alguém vire a almofada e descubra o que tentamos esconder. Mas, como Jesus conhece nossos segredos, achamos que isso nos desqualifica. As nossas manchas, com certeza, tiram o nosso nome da lista de convidados a seguidores de Cristo. Ele não nos aceitaria.
>
> A mancha ainda está ali e sempre estará, mas aconteceu uma coisa engraçada. Morgan começou a contar a história da mancha no sofá branco. Ela gosta de mostrar a mancha para as pessoas e de contar o que aconteceu, pois o que antes representava vergonha, culpa e medo de rejeição agora representa amor, graça e aceitação.[73]

A maioria de nós conhece o Pai-nosso. Quando os discípulos de Jesus disseram: "Senhor, ensina-nos a orar." Jesus disse:

> "Vocês, orem assim: 'Pai nosso, que estás nos céus! Santificado seja o teu nome. Venha o teu Reino; seja feita a tua vontade, assim na terra como no céu. Dá-nos hoje o nosso pão de cada dia. Perdoa as nossas dívidas, assim como perdoamos aos nossos devedores. E não nos deixes cair em tentação, mas livra-nos do mal, porque teu é o Reino, o poder e a glória para sempre. Amém" (Mateus 6:9-13).

A maioria de nós para aí, mas o que Jesus ensinou a seguir muda radicalmente a nossa vida de oração. Ele disse: "Pois se perdoarem as ofensas uns dos outros, o Pai celestial também lhes perdoará. Mas se não perdoarem uns aos outros, o Pai celestial não lhes perdoará as ofensas" (Mateus 6:14-15).

Ser perdoada pelos nossos próprios pecados depende da nossa disposição para perdoar os outros? Sim. Jesus disse que Deus só nos

---

[73] IDLEMAN, Kyle. *Not a Fan*. Grand Rapids: Zondervan, 2011, p. 117-19, 121.

perdoa se fizermos o mesmo com os nossos filhos, com o nosso marido, com a nossa família e com os nossos amigos.

Esse é um remédio difícil de engolir. Guardar rancor às vezes pode ser uma "culpa de prazer". Alguns aspectos da nossa carne pecaminosa se sentem bem quando resolvemos remoer algo errado na nossa mente continuamente ao não termos pensamentos tão bonitos sobre a pessoa que nos feriu. Perdoar e deixá-la se safar? Isso não seria justo!

Será que você não fica contente por Deus nos dar graça, e não o que é justo?

O apóstolo Pedro aproximou-se uma vez de Jesus e lhe perguntou: "'Senhor, quantas vezes deverei perdoar a meu irmão quando ele pecar contra mim? Até sete vezes?' Jesus respondeu: 'Eu lhe digo: Não até sete, mas até setenta vezes sete'" (Mateus 18:21-22).

De acordo com os meus cálculos, isso daria 490 vezes. Mantenha esse número na mente hoje quando estiver com os seus filhos.

Oro para que eles sempre a percebam como uma mãe de perdão e de graça.

Oração de hoje

Hoje, faça em voz alta esta oração especial de bênção para os seus filhos. Leia-a para eles na hora do jantar ou vá ao quarto deles e ore por cada um. Você também pode orar sobre eles em silêncio, enquanto dormem. Talvez você queira digitá-la e imprimi-la ou pô-la no quarto deles.

Meu filho, eu o amo! Você é excepcional. Uma dádiva e um tesouro de Deus. Agradeço ao Senhor por me permitir ser a sua mãe. Abençoo-o com a cura para todas as feridas de rejeição, negligência e abuso que tem sofrido. Abençoo-o com a paz transbordante — a paz que só o Príncipe da paz pode conceder, uma paz além da compreensão. Abençoo a sua vida com frutificação — bons frutos, muitos frutos e frutos que permanecem. Abençoo-o com o espírito de filiação. Você é um filho [ou filha] do Rei dos reis. Você tem uma rica herança no Reino de Deus.

Abençoo-o com o sucesso. Você é a cabeça, e não a cauda; está acima, e não abaixo. Abençoo-o com saúde e força física, alma e espírito. Abençoo-o com êxito abundante, capacitando-o a ser uma bênção para os outros. Abençoo-o com influência espiritual, pois você é a luz do mundo e o sal da terra. Você é como árvore plantada à beira de águas correntes. Você progredirá em todos os seus caminhos.

Abençoo-o com um profundo entendimento espiritual e uma caminhada íntima com o seu Senhor. Você não tropeçará nem vacilará, pois a Palavra de Deus será lâmpada para os seus pés e luz para o seu caminho. Abençoo-o com relacionamentos puros, edificantes e encorajadores e os quais o fortaleçam na sua vida. Você tem o favor de Deus e do homem. Abençoo-o com amor e vida abundantes. Abençoo-o com poder, amor e uma mente sadia e firme. Abençoo-o com sabedoria e dons espirituais das alturas. Você ministrará a graça reconfortante e a unção de Deus aos outros. Você é abençoado, meu filho! É abençoado com todas as bênçãos espirituais em Cristo Jesus. Amém![74]

[74] GREENWOOD, Rebecca. *Let Our Children Go*. Lake Mary, FL: Charisma House, 2011, p. 150-51.

A espada do Espírito

"Pois o pecado não os dominará, porque vocês não estão debaixo da lei, mas debaixo da graça" (Romanos 6:14).

"Mas ele me disse: 'Minha graça é suficiente para você, pois o meu poder se aperfeiçoa na fraqueza.' Portanto, eu me gloriarei ainda mais alegremente em minhas fraquezas, para que o poder de Cristo repouse em mim" (2Coríntios 12:9).

"E Deus é poderoso para fazer que lhes seja acrescentada toda a graça, para que em todas as coisas, em todo o tempo, tendo tudo o que é necessário, vocês transbordem em toda boa obra" (2Coríntios 9:8).

"Se confessarmos os nossos pecados, ele é fiel e justo para perdoar os nossos pecados e nos purificar de toda injustiça" (1João 1:9).

"Aquele que é a Palavra tornou-se carne e viveu entre nós. Vimos a sua glória, glória como do Unigênito vindo do Pai, cheio de graça e de verdade. [...] Todos recebemos da sua plenitude, graça sobre graça" (João 1:14,16).

Perguntas para a discussão em um pequeno grupo

1. Como saber que Deus é um Deus de graça e perdão afeta você? Como pode refletir a graça dele na sua interação com os seus filhos? Nas suas orações por eles?
2. Que conceito você tinha dos termos *graça* e *perdão* quando criança? O seu entendimento desses termos mudou? Se esse for o caso, como?
3. Você tende a ser uma pessoa que perdoa ou que guarda rancor? Por que acha que é assim? Que fardos você precisa entregar para Deus hoje? Libere hoje para o Senhor todo rancor ou inclemência que tiver. Ele diz: "A mim pertence a vingança; eu retribuirei" (Hebreus 10:30).
4. O que você mais enfrenta no seu esforço para oferecer graça aos seus filhos? Talvez seja determinado momento estressante do dia, determinado filho que testa a sua paciência, um hábito em particular de algum filho que a enlouquece ou alguma outra coisa. Da próxima vez que isso acontecer, como você pode mudar a sua reação para refletir a graça e o perdão de Deus? Que palavras e atos podem ajudá-la a mudar o comportamento do seu filho?

Epílogo

Henri Nowen diz que somos "uma escolha divina". Você é a escolha de Deus, a sua amada. Cada um dos seus filhos também é. Todos vocês foram perfeitamente criados e amados apaixonadamente.

A minha oração para você é que este livro tenha tocado o seu coração, estimulado o seu sentimento de gratidão, aprofundado a sua intimidade com Deus na oração e despertado o seu desejo adormecido de buscá-lo ainda mais. Se você esteve sofrendo, espero de todo o coração que estas palavras tenham sido um unguento para a sua alma ferida e que este livro a tenha inspirado a buscar a ajuda e a cura do nosso grande Médico.

Oro para que você e os seus filhos provem a bondade de Deus, que abracem totalmente a vontade dele, que o vejam realizar de maneiras que a deixem atônita. Quando alinhar tudo na sua busca por ele, sei que descobrirá que as bênçãos dele são renovadas todas as manhãs, pois grande é a fidelidade do Senhor.

Confio que Deus a recompensará por já ter chegado tão longe na jornada, Mãe Guerreira de Oração. Quando olhar em retrospectiva sua vida, desde o momento em que abriu este livro até agora, oro para que veja cada vez mais frutificação e bênçãos, muito mais do que poderia imaginar nos seus sonhos mais loucos. Oro para que tenha uma colheita abundante como resultado das suas orações sacrificiais e do seu coração doador: que você receba da mão de Deus uma "boa medida, calcada, sacudida e transbordante" (Lucas 6:38).

Por favor, junte-se à conversa espiritual no meu site www.prayerwarriormom.com. Você é uma parte crucial do nosso diálogo, Mãe Guerreira de Oração. Você é uma preciosa companheira de oração e irmã na fé. Mal posso esperar para ter notícia da sua jornada pessoal de fé conforme Deus a transforma em uma vitoriosa Mãe Guerreira de Oração! Por favor, conte-me como o Senhor entrou na sua vida e na dos seus filhos. Obrigada por trilhar comigo esse caminho para a bênção.

Pesquisas recomendadas

CAPÍTULO 1: CULTIVE UMA ATITUDE DE GRATIDÃO

DEMOSS, Nancy Leigh. *Choosing Gratitude*: Your Journey to Joy. Chicago: Moody Publishers, 2011.

NIEQUIST, Shauna. *Cold Tangerines*: Celebrating the Extraordinary Nature of Everyday Life. Grand Rapids: Zondervan, 2007.

OMARTIAN, Stormie. *The Prayer That Changes Everything*: The Hidden Power of Praising God. Eugene, OR: Harvest House, 2005.

VAUGHN, Ellen. *Radical Gratitude*: Discovering Joy Through Everyday Thankfulness. Grand Rapids: Zondervan, 2005.

VOSKAMP, Ann. *One Thousand Gifts*: A Dare to Live Fully Right Where You Are. Grand Rapids: Zondervan, 2010.

CAPÍTULO 2: ORE RECITANDO AS ESCRITURAS

BANKS, James. *Prayers for Prodigals*: 90 Days of Prayer for Your Child. Grand Rapids: Discovery House, 2011.

BERNDT, Jodie. *Praying the Scriptures for Your Children*. Grand Rapids: Zondervan, 2001.

______. *Praying the Scriptures for Your Teenagers*: Discover How to Pray God's Will for Their Lives. Grand Rapids: Zondervan, 2007.

MOORE, Beth. *Praying God's Word*: Breaking Free from Spiritual Strongholds. Reimp. ed. Nashville: B&H, 2008.

OMARTIAN, Stormie. *Praying the Bible into Your Life*. Eugene, OR: Harvest House, 2012.

CAPÍTULO 3: FIQUE NO VÃO

BATTERSON, Mark. *The Circle Maker*: Praying Circles Around Your Biggest Dreams and Greatest Fears. Grand Rapids: Zondervan, 2011.

DEAN, Jennifer Kennedy. *Live a Praying Life*. Edição de aniversário nova e revisada. Birmingham: New Hope Publishers, 2010.

INGRAM, Chip. *The Invisible War*: What Every Believer Needs to Know About Satan, Demons, and Spiritual Warfare. Reimp. ed. Grand Rapids: Baker Books, 2008.

SHEETS, Dutch. *Oração intercessória*. Rio de Janeiro: Luz às Nações, 2012.

THOMPSON, Janet. *Praying for Your Prodigal Daughter*. West Monroe, LA: Howard Books, 2008.

CAPÍTULO 4: SATISFAÇA AS CONDIÇÕES PARA TER A ORAÇÃO RESPONDIDA

HEALD, Cynthia. *Becoming a Woman of Prayer*. Colorado Springs: NavPress, 2005.

MACARTHUR, John. *Lord, Teach Me to Pray*. Nashville: Thomas Nelson, 2003.

PRINCE, Derek. *Secrets of a Prayer Warrior*. Grand Rapids: Chosen Books, Baker Publishing Group, 2009.

CAPÍTULO 5: ORE COM PODER E AUTORIDADE

ALVES, Elizabeth. *Becoming a Prayer Warrior*. Ventura, CA: Regal Books, 1998.

CYMBALA, Jim. *Breakthrough Prayer*: The Power of Connecting with the Heart of God. Grand Rapids: Zondervan, 2003.

DELGADO, Iris. *Satan, You Can't Have My Children*. Lake Mary, FL: Charisma House, 2011.

FULLER, Cheri. *Quando as mães oram*. Rio de Janeiro: CPAD, s. d.

NICHOLS, Fern. *When Moms Pray Together*: True Stories of God's Power to Transform Your Child. Carol Stream, IL: Tyndale House, 2009.

SHERRER, Quin. *Manual da mulher para a batalha espiritual*. PR: Atos, s. d.

TENNEY, Tommy. *How to Pray with Passion and Power*. Reimp. ed. Grand Rapids: Revell, 2010.

CAPÍTULO 6: PEÇA AJUDA QUANDO PRECISAR

CLARK, Jerusha. *Living Beyond Postpartum Depression*: Help and Hope for the Hurting Mom and Those Around Her. Colorado Springs: NavPress, 2010.

FORTUNE, Marie. *Keeping the Faith*: Guidance for Christian Women Facing Abuse. San Francisco: HarperOne, 1995.

JOHNSON, Barbara. *When Your Child Breaks Your Heart*: Help for Hurting Moms. Grand Rapids: Revell, 2008.

MCROBERTS, Susan. *The Lifter of My Head*: How God Sustained Me During Postpartum Depression. Mustang, OK: Tate Publishing, 2007.

NASON-CLARK, Nancy. *Refúgio contra o abuso*. Rio de Janeiro: CPAD, s. d.

SHIELDS, Brooke. *Depois do parto, a dor*: minha experiência com a depressão pós-parto. Rio de Janeiro: Prestígio, s. d.

STEWART, Don. *Refuge*: A Pathway Out of Domestic Violence and Abuse. Birmingham: New Hope Publishers, 2004.

ZAHN, Tina. *Why I Jumped*: My True Story of Postpartum Depression, Dramatic Rescue & Return to Hope. Grand Rapids: Revell, 2006.

CAPÍTULO 7: APRENDA A ORAR COM AMOR

FOSTER, Richard. *Prayer*: Finding the Heart's True Home. São Francisco: HarperOne, 1992.

HYBELS, Bill. *Ocupado demais para deixar de orar*. São Paulo: Hagnos, 1999.

MILLER, Paul. *O poder de uma vida de oração*. São Paulo: Vida Nova, 2010.

PATTERSON, Ben. *Aprofundando o diálogo com Deus*: o privilégio de conversar com o Criador. São Paulo: Vida, s. d.

CAPÍTULO 8: SEJA PERSISTENTE

GRAHAM, Ruth Bell. *Prodigals and Those Who Love Them*: Words of Encouragement for Those Who Wait. Reimp. ed. Grand Rapids: Baker Books, 2008.

JACOBS, Cindy. *O poder da oração persistente*. São Paulo: Vida, 2012.

OMARTIAN, Stormie. *O poder da mãe que ora*. São Paulo: Mundo Cristão, 2012.

SHERRER, Quin. *Praying Prodigals Home*: Taking Back What the Enemy Has Stolen. Ed. ver. Ventura, CA: Regal Books, 2000.

CAPÍTULO 9: JEJUE PELO AVANÇO ESPIRITUAL

COLBERT, Don. *Get Healthy Through Detox and Fasting*: How to Revitalize Your Body in 28 Days. Siloam, NC: Siloam Publishing, 2006.

FRANKLIN, Jentezen. *Jejum*: a disciplina particular que gera recompensas públicas. Rio de Janeiro: Luz às Nações, s. d.

GREGORY, Susan. *O jejum de Daniel*. Paraná: Atos, 2011.

NELSON, Lisa. *A Woman's Guide to Fasting*. Minneapolis: Bethany House, 2011.

TOWNS, Elmer. *The Beginner's Guide to Fasting*. Ventura, CA: Regal Books, 2001.

______. *Fasting for Spiritual Breakthrough*: A Guide to Nine Biblical Fasts. Ventura, CA: Regal Books, 1996.

CAPÍTULO 10: CUIDE DE SEUS FILHOS COM LIBERDADE

BOTTKE, Allison. *Setting Boundaries with Your Adult Children*. Eugene, OR: Harvest House, 2008.

KENT, Carol. *When I Lay My Isaac Down*. Colorado Springs: NavPress, 2004.

OMARTIAN, Stormie. *O poder de orar pelos filhos adultos*. São Paulo: Mundo Cristão, 2010.

CAPÍTULO 11: OUÇA A VOZ DE DEUS ACIMA DO RUÍDO DA VIDA DIÁRIA

DEAN, Jennifer Kennedy. *Heart's Cry*: Principles of Prayer. Ed. rev. Birmingham: New Hope Publishers, 2007.

JAYNES, Sharon. *Becoming a Woman Who Listens to God*. Eugene, OR: Harvest House, 2012.

SHIRER, Priscilla. *He Speaks to Me*: Preparing to Hear the Voice of God. Chicago: Moody Publishers, 2006.

CAPÍTULO 12: SEJA A PRIMEIRA A DEFENDER OS SEUS FILHOS

CARUANA, Vicki. *Stand Up for Your Kids Without Stepping on Toes*. Carol Stream, IL: Tyndale House, 2007.

GUARENDI, Ray. *Discipline That Lasts a Lifetime*: The Best Gift You Can Give Your Kids. Ann Arbor: Servant Books, 2003.

RIGBY, Jill. *Raising Respectful Children in a Disrespectful World*. West Monroe, LA: Howard Books, 2006.

SHERRER, Quin. *Como orar por seus filhos*. São Paulo: Vida, 2011.

CAPÍTULO 13: PROCURE DISCERNIR A VONTADE DE DEUS PARA OS SEUS FILHOS

ELDREDGE, John. *Walking with God*. Nashville: Thomas Nelson, 2010.

SHIRER, Priscilla. *Discerning the Voice of God*. Nova ed. Chicago: Moody Publishers, 2012.

SWINDOLL, Charles. *O mistério da vontade de Deus*. São Paulo: Mundo Cristão, s. d.

CAPÍTULO 14: VIVA COM UMA PERSPECTIVA ESPIRITUAL

BURPO, Todd e BURPO, Colton com VINCENT, Lynn. *O céu é de verdade*. Rio de Janeiro: Thomas Nelson, 2011.

CHAPMAN, Mary Beth com VAUGHN, Ellen. *Choosing to See*. Grand Rapids: Baker Publishing Group, 2010.

DEAN, Jennifer Kennedy. *A Legacy of Prayer*: A Spiritual Trust Fund for the Generations. Birmingham: New Hope Publishers, 2002.

CAPÍTULO 15: MODELE O PERDÃO E A GRAÇA

BARNHILL, Julie. *Radical Forgiveness*. Carol Stream, IL: Tyndale House, 2004.

FITZPATRICK, Elyse. *Give Them Grace*: Dazzling Your Kids with the Love of Jesus. Wheaton, IL: Crossway Books, 2011.

HUNT, June. *Aprenda a perdoar... mesmo quando não tem vontade*. Rio de Janeiro: Propósito Eterno, 2009.

KIMMEL, Tim. *Grace-Based Parenting*. Nashville: Thomas Nelson, 2005.

Smedes, Lewis. *Forgive & Forget: Healing the Hurts We Don't Deserve*. 2ª ed. São Francisco: HarperOne, 2007.